Au jour le jour

Le livre quotidien d'une femme

DISTRIBUTEURS EXCLUSIFS

Pour le Canada et les États-Unis
Les Messageries ADP
955, rue Amherst
Montréal (Québec) H2L 3K4
Téléphone: (514) 523-1182
Télécopieur: (514) 939-0406

Pour la Suisse
Transat S.A.
Route des Jeunes, 4 Ter
C.P. 1210
1 211 Genève 26
Téléphone: (41-22) 342-77-40
Télécopieur: (41-22) 343-46-46

Pour l'Amérique du Sud
Amikal
Santa Rosa 1840
1602 Buenos Aires, Argentine
Téléphone: (541) 795-3330
Télécopieur: (541) 796-4095

DONNA SINCLAIR

Au jour le jour

Le livre quotidien d'une femme

Traduit de l'anglais par
Denis René

Ce livre a été publié en anglais en 1997 par Northstone Publishing inc., Seattle, États-Unis d'Amérique, sous le titre *A Woman's Book of Days*.

C.P. 325, Succursale Rosemont
Montréal (Québec), Canada H1X 3B8
Téléphone: (514) 522-2244
Télécopieur: (514) 522-6301
Courrier électronique: pnadeau@edimag.com

Éditeur: Pierre Nadeau
Mise en pages et couverture: Jean-François Gosselin
Illustration de la page couverture: Lois Huey-Heck

Dépôt légal: deuxième trimestre 1999
Bibliothèque nationale du Québec
Bibliothèque nationale du Canada

ISBN: 2-921735-87-3

Canada
Nous reconnaissons l'aide financière du gouvernement du Canada par l'entremise du Programme d'Aide au Développement de l'Industrie de l'Édition (PADIÉ) pour nos activités d'édition.

REMERCIEMENTS

Je lisais des extraits de ce livre à cinq de mes amis - nous nous appelons nous-mêmes, sans aucune modestie, le Groupe Jung - qui se réunissent une fois par mois pour discuter. J'étais encore sous le coup de l'effort d'avoir écrit à peu près tout ce que je savais. «Évidemment, tu te prépares depuis toujours à écrire ce livre», me dit l'un d'entre eux.

Il disait vrai. Il serait donc impossible de nommer tous les auteurs dont les travaux m'ont procuré un grand plaisir et un enrichissement au cours des années, et dont les pensées se retrouvent à l'intérieur de mon livre. Toutefois certains d'entre eux occupent une place toute spéciale : Dorothee Soelle, Thomas Moore, James Hillman, Walter Wink, Henri Nouwen, Esther de Waal et Jean Shinoda Bolen. Polly Young-Eisendrath, auteure de *Hags and Heroes* (*Inner City Books*, 1984) a attiré mon attention sur la légende d'Arthur telle qu'adaptée et présentée à l'article du 25 mai.

Je suis aussi reconnaissante envers trois jeunes femmes que je rencontre certains matins dans ma cuisine, ma fille Tracy et deux de ses amies, Erin Shillinglaw et Laure Lafrance. Leurs questions et leurs suggestions m'ont portée à croire qu'il pourrait exister des personnes intéressées par un tel livre.

Il n'y a pas suffisamment de mots pour remercier adéquatement Wanda Wallace, Kathy Aylett, Rose Tekel, Sarah Tector, Trish Mills et Muriel Duncan pour leur sagesse.

Je remercie toutes les personnes qui m'ont autorisée à raconter leurs rêves.

Je suis, comme toujours, reconnaissante pour la confiance que ma famille - ma mère, Margaret Knapp; mon frère, Larry Knapp; mes enfants, David, Andy et Tracy Sinclair; mon époux, Jim Sinclair - m'a accordée en me permettant de raconter des histoires qui les concernent. Ma mère, particulièrement, parce qu'elle m'a permis de citer son nom là où je rapporte deux de ses rêves.

Je remercie Michael Schwartzentruber et l'équipe de Northstone pour leur patience et leurs judicieux conseils.

À Jim, dont le respect pour les femmes,
et l'amour de celle-ci en particulier,
me donnent toujours de la force.

INTRODUCTION

Au début, lorsque je pensais à ce projet d'un livre des jours, je concevais l'idée d'une série de passages méditatifs pour chaque jour de l'année. J'allais tout bonnement composer 365 morceaux de sagesse. Les lecteurs qui le désireraient pourraient ainsi absorber une pensée par jour, comme une vitamine, et l'avaler tout en prenant leur café avant de se rendre au travail.

Ça ne s'est pas passé comme ça. Si je possède tant soit peu de sagesse, elle ne coule pas comme le fait un cours d'eau.

J'ai alors réfléchi à la manière dont se déroulaient mes journées. J'avais la vague idée qu'ils comportaient une certaine valeur car autrement, cette idée n'aurait même pas surgi.

J'ai la chance de pouvoir passer mes journées comme je l'entends. Je lis, j'écris, je parle avec des gens, je travaille au jardin, je prends des marches, je réfléchis, je marche tout en réfléchissant, je prépare le souper, je m'occupe de la lessive, je lis à nouveau. Ce ne sont pas des journées à ne rien faire. Ils sont même très remplis. Je ne jouis pas vraiment de la capacité de mettre des limites quand j'entreprends un travail, et j'aime faire ce travail du mieux que je peux. Écrire signifie pour moi mener une recherche intensive, faire des entrevues et polir mon vocabulaire alors que les dates de tombée viennent toujours trop vite. Lire

désigne l'activité d'une femme qui, dans ses moments de loisir, doit ingurgiter des revues, des journaux, des essais et des ouvrages de fiction de toutes sortes ou autrement, risquer la folie.

Ce livre est le résultat de toute cette lecture et de cette écriture. Mais surtout, il est issu de la parole. Les femmes parlent entre elles. Il existe une énergie bien spéciale dans leur conversation : l'aptitude à entendre la souffrance, la joie ou l'inquiétude de l'autre sans y pénétrer. Elles relient leurs histoires. Elles tentent de comprendre ce qu'elles signifient. Et dans cet espace qui les sépare, dans ce rire marqué par les larmes retenues, transparaît la sagesse.

J'ai essayé de réunir à l'intérieur de ces pages ce que j'ai appris auprès des femmes, et des hommes aussi, qui possèdent ce don particulier de l'empathie, cette amitié de l'âme. Je souhaite qu'il vous procure, à chaque jour, quelque chose qui va au-delà d'une simple méditation quotidienne. J'espère qu'il vous conviera à un entretien spirituel qui habitera votre esprit et votre cœur tout au cours de l'année.

JANVIER

1ER JANVIER

LES RÉSOLUTIONS

Ce sont les nuits les plus longues. Je m'assois parfois à mon bureau en ces matins de janvier alors qu'il fait encore noir et au moment où je cesse de travailler, il fait toujours noir.

Ah, je me lève bien pour faire les cents pas dans la maison pendant qu'un paragraphe se démêle dans ma tête, je fais sortir le chien ou je déblaie les marches du devant de la maison pour faciliter l'accès au facteur. Mais ces jours filent vite entre les moments où apparaît la lueur orangée à un bout de l'horizon et la lueur orangée à l'autre bout.

Entre les deux, le soleil brille si fort sur la neige que ça en est hallucinant. Peut-être est-ce pour cette raison que ces jours sont faits si courts. Nous ne pourrions pas supporter trop longtemps cette beauté surnaturelle, cette lumière dorée qui se produit seulement à ce moment-là, ce gémissement de nos pas sur la neige gelée.

Ainsi je changerai. Je vais aller marcher dans le froid chaque jour. Je suis un enfant de l'hiver; je vais aller dehors et faire des anges dans la neige pour jouer avec moi.

Les résolutions du nouvel an nous aident à concevoir ce qui est possible de sorte que nous y tendions.

2 JANVIER

LE BONHEUR

Il est tentant de rechercher avec ferveur le bonheur en achetant des choses jusqu'à la limite de ce que nous pouvons nous offrir et en transformant notre univers autant que nous en avons la capacité.

Rien de mal à cela. Ma liste de souhaits s'allonge sur des kilomètres. Mais le bonheur ne vient pas du fait de posséder une maison, d'entretenir un jardin ou de refaire la décoration du salon.

Tout cela nous procure du plaisir.

Toutefois, le bonheur vient de l'intérieur de nous-mêmes. Vous vous retournez un beau jour et remarquez sa gracieuse présence, passant telle une libellule devant vos yeux, ce moment de conscience se dissipant en un lumineux instant.

Le bonheur est un visiteur fuyant. Lorsqu'il se présente, assoyez-vous. Parlez-lui. S'il se sent bienvenu, peut-être restera-t-il.

3 JANVIER

LA JOUISSANCE ANTICIPÉE

C'est maintenant que les catalogues des semences arrivent. L'été prochain est encore loin. C'est bien ainsi, je me repose encore du travail accompli au cours de l'été précédent.

Mais la joie d'être humain réside dans notre capacité de vivre
dans le futur, de rêver, de faire des projets et d'avoir une vision des choses comme s'il s'agissait de la réalité.

Il n'en est pas ainsi seulement pour les jardins.

4 JANVIER

LE PARDON

Quiconque utilise les mots «pardonner» et «oublier» dans la même phrase est lui-même en mal de pardon.

En tant que femme, j'ai besoin d'apprendre comment pardonner pleinement à moi-même et aux autres. Il devient trop épuisant de transporter partout un flambeau de rage qui menace à tout moment de nous brûler de la tête au pied.

Il doit y avoir un moyen d'y verser de l'eau : accepter les limites de nos compagnons humains, et les nôtres.

Pardonner.

Mais ne pas oublier.

Ces morceaux carbonisés de colère bien trempée doivent être bien rangés dans un coin de notre âme. Nous pouvons y jeter un coup d'œil, à l'occasion, pour prévenir qu'on ne se brûle à nouveau.

Le souvenir et la grâce sont cachés ensemble dans chaque acte de pardon.

L'INDULGENCE

Il y a des jours où vous souhaiteriez retourner en arrière et recommencer. Un jour, à l'époque où j'étais une très jeune enseignante au niveau secondaire, passionnée par ma matière, l'entraîneur de football est venu me voir. Son meilleur quart-arrière avait échoué en anglais. Ma matière.

D'après les règles de l'école, cela voulait dire qu'il ne pouvait plus jouer; alors est-ce que je ne pouvais pas trouver quelques notes supplémentaires ici et là ?

Non, que je lui répondis. Je travaillais avec des normes élevées. Je n'arrive même pas à me rappeler si j'ai offert une aide accrue au joueur de football, mais j'espère que je l'ai fait. Rien ne m'aurait fait changer d'idée, je fonctionnais beaucoup selon des principes.

Cela m'a pris des années, la maternité et la fréquentation de personnes sages pour m'enseigner que le premier principe doit être celui de prendre soin d'un enfant. Le football était la seule chose qu'il réussissait à bien faire. Cela le maintenait à l'école. La situation demandait de l'indulgence et j'ai formulé un jugement.

J'aimerais que ce jour-là se présente à nouveau. Il y a un temps pour juger, et un temps pour faire preuve d'indulgence. Lorsque nous sommes en position de pouvoir, il nous faut connaître l'heure juste.

6 JANVIER

LE TEST DE LA RÉALITÉ

Une de mes amies a passablement élevé son enfant - une adolescente formidable, réfléchie - tout en étant seule.

Toutefois, à l'occasion, lorsque la route des responsabilités parentales devient cahoteuse, elle téléphone et me demande si j'ai le temps de dîner avec elle. Elle arrive avec un bol de soupe préparée à la maison et des questions. Qu'est-ce que je pense de cette situation ? Qu'est-ce que j'aurais fait ? Et toujours : Est-ce que j'en ai trop fait ?

Elle vérifie sa perception de la réalité auprès d'une amie en qui elle a confiance. J'en suis honorée.

Et j'apprends d'elle combien il est sage de tester ainsi notre version de «ce qui se passe ici» avec d'autres personnes. Non seulement comme mère de famille, mais aussi pour toute action importante que nous posons.

Le fait de demander d'autres points de vue ne veut pas dire que nous devons les accepter de manière aveugle; cela contribue simplement à nous rapprocher de la réalité.

7 JANVIER

LES MASQUES

Nous nous empêchons parfois de demander de l'aide à cause de l'idée que nous entretenons au sujet de nous-mêmes.

Par exemple, j'aime vraiment beaucoup aider les gens. J'aime tenir le rôle de conseillère et de sage.

Je ne suis pas mauvaise dans ces rôles. Je dirige parfois des ateliers et je joue le rôle de l'experte pendant toute une fin de semaine.

Ce n'est pas que ces rôles ne soient pas réels, ils le sont.

Mais ils ne constituent qu'une petite partie de mon histoire. S'ils deviennent trop importants et que je commence à croire que je ne suis jamais incertaine ni perdue, je développerai une couche si épaisse sur mon âme qu'elle ne me permettra plus jamais de demander de l'aide à l'avenir. Cela signifierait la mort en moi de toute énergie qui représente de la valeur. L'authenticité n'est pas facile. Elle est seulement essentielle.

8 JANVIER

MARCHER DANS LA NUIT

Pendant des semaines, je vais dormir comme un bébé. Puis soudainement, une nuit, je me réveillerai à trois heures du matin, tournant d'un bord et de l'autre, l'esprit fixé sur mes erreurs, ou m'inquiétant au sujet des gens que j'aime.

Nous sommes vulnérables et sur le qui-vive à cette heure-là.

Nous réagissons sans doute trop fort aussi, mais ce n'est pas une bonne heure pour téléphoner à une amie pour se faire une image plus complète de la situation.

Toutefois, ces moments sont précieux. C'est le temps de penser à nos affaires et de voir les choses que notre affairement et notre autosuffisance nous empêcheront de voir pendant la journée. Les nuits d'insomnie sont de bons moments pour mettre des choses sur papier, faire des listes, écrire son journal.

La lumière du matin est propice pour poser des gestes utiles et pour oublier le reste.

9 JANVIER

LA NOURRITURE

La vie des femmes gravite autour de la nourriture. C'est ce que nous apportons instinctivement lorsque nous désirons témoigner de notre soutien à une personne qui vit une situation stressante ou qui éprouve de la douleur.

Une bonne amie se présente à ma porte, me donne joyeusement une tasse de café prise en passant chez notre marchand de beignets préféré, et disparaît aussitôt en apprenant que j'ai de la difficulté à respecter la date d'échéance.

La dernière fois qu'il y a eu des funérailles dans la famille, elle nous a envoyé un poulet rôti complet, y compris la sauce à faible teneur en gras. Nous étions tous trop perturbés pour nous alimenter adéquatement, nous ne faisions que déchirer des morceaux en passant à côté, ou réchauffer des sandwiches au poulet avec de la sauce dans le four à micro-ondes.

Elle possède la sagesse des femmes. Comme Jésus l'avait. Il réunissait tout le monde autour de

la table, riches, pauvres, vieux, jeunes, stressés ou enjoués, pour partager le pain, effacer les différences et prendre soin du corps. Il savait qu'il n'était pas séparé de l'âme; il savait que tout aliment servi avec amour nourrit l'âme.

10 JANVIER

DES ROULÉS POUR SOUPER EN UN TOUR DE MAIN

1 tasse (240 g) d'eau très chaude
1 sachet de levure sèche
2 cuillères à soupe (30 g) de sucre
2 3 tasses (200 g) de farine
1 cuillère à thé (6 g) de sel
1 œuf
2 cuillères à soupe
(30 g) de graisse végétale amollie

Mélangez la levure à la farine, au sucre et au sel. Ajoutez en brassant à la graisse et à l'eau, puis mettez-y les œufs.

Mélangez bien. Laissez lever.

Rabaissez et laissez lever une autre fois.

À l'aide d'une cuillère, remplissez 12 moules à muffins, ornez de graines de sésame ou de pavot.

Laissez lever à nouveau (durant environ 20 minutes) et cuisez au four pendant 15 à 20 minutes à une température de 400 °F (200 °C).

Assez rapide pour être fait sur l'inspiration du moment et apporté à une amie.

LE TRÉSOR INTÉRIEUR

Autour de la table, en visite. «J'ai fait le plus étrange des rêves la nuit dernière» avance l'une d'entre nous. Toutes les autres écoutent attentivement. La narration et l'écoute d'un rêve suffisent à lui faire honneur.

Il est malheureux que certaines ne racontent leurs rêves qu'à un thérapeute.

L'aide professionnelle, bien qu'utile, porte en elle le sous-entendu d'un problème.

Mais les rêves sont une réalité quotidienne, non une maladie; plutôt, une source de délectation.

Ils sont remplis de jeux de mots et de quoi faire rire.

Les amies peuvent aider à soupeser les questions que pose un rêve.

Au sujet du rêve d'une voiture hors contrôle, on peut dire «Hmmmm» aussi bien que le ferait un psychiatre. «Est-ce qu'une partie de ta vie échappe à ton contrôle ?»

Au sujet du rêve d'antiquités fabuleuses, nous pouvons dire : Quels trésors cachés en toi-même ne vois-tu pas ?»

Nous ne fournissons pas les réponses à ces questions; cela appartient à celle qui a fait le rêve.

Nous retirons seulement le grand plaisir de constater la sagesse et la bienveillance du rêve.

Les rêves, comme des amies, recherchent notre bien-être.

LA CÉLÉBRATION

Les femmes ont toujours célébré les petits événements. Se rappeler le plat favori d'un fils ou d'une fille devenus grands qui vient faire une visite à la maison. Rassembler des amies pour un anniversaire : gâteau, crème glacée et cartes humoristiques. Les réunions à l'occasion d'un mariage, ou d'une naissance. Les chandelles et la pizza à la veille de la fin de semaine, le temps de la re-création, hourra!

C'est de la poésie en pantomime, ces gestes gracieux - tel ce salut avec les coupes de vin même au-dessus d'un plat de macaronis; le fait d'allumer une chandelle seulement parce que c'est l'heure du souper et que le jour est presque terminé, et que nous sommes encore en vie et ici, ensemble. Hourra!

Ou mieux encore, nous pourrions dire de ces gestes qu'ils sont une prière murmurée, une litanie continuelle et inaudible de louanges récitée pour les vies de chacune d'entre nous.

«Puisses-tu vivre longuement et en santé!», disent ces actions.

«Que se poursuive la bénédiction de ta présence!»

Nous rendons donc gloire au dieu de chaque jour. Nous nous rappelons notre amour entre nous. Hourra!

UNE NOTE D'AGRÉMENT

Nous devrions repeindre le plafond de la cuisine. Et les murs, mais le plafond est dans le pire état. Il y a presqu'un an que notre fille de 17 ans faisait cuire des falafels avec ses amies. L'huile chaude dans la grande poêle à frire de fonte noire avait pris en feu. Elles avaient essayé d'éteindre le feu mais sans y parvenir, ayant oublié l'extincteur chimique qui se trouvait hors de la vue.

Tracy avait finalement enveloppé ses mains dans une serviette, avait saisi le manche de la poêle en flammes et l'avait jetée dehors par la porte arrière. Elle aurait pu se brûler.

Quand quelqu'un ouvre une porte tout en tenant un objet en feu, l'apport en oxygène transforme ce dernier en une torche. Ça lui revient habituellement au visage. «Tout ce à quoi je pouvais penser, c'était à quel point maman aime cette maison», raconta-t-elle.

Ses cheveux avaient roussi. Lorsque nous sommes revenus à la maison, sans que nous ayons été mis au courant, une de ses amies, en larmes, était en train de lui couper les cheveux avec les ciseaux de cuisine.

Nous avons passé l'après-midi à frotter le plafond et les murs, mais des traces de graisse apparaissent encore. Nous devrions repeindre. Mais chaque fois que je remarque ces traces, je pense à ma fille qui est sauve, mais qui aurait pu être brûlée. La grâce, c'est ce présent qui nous est donné au beau milieu du chaos.

LES CHIENS

Notre chien, Gabriel, remplit un certain nombre de fonctions. Il nous avertit lorsqu'un écureuil transgresse la barrière invisible qu'il a érigée autour de la maison. L'alerte ne donne rien de bon, évidemment.

Gaby, dans tous ses états, se précipite bruyamment de fenêtre en fenêtre et l'écureuil l'observe avec un air amusé.

Il accueille avec soin les visiteurs.Il nous garde les pieds au chaud en se couchant dessus. Il accepte avec dignité les quelques restes de nos assiettes, sachant qu'il jouit de certains droits à titre de membre précieux de la maisonnée.

Il est impossible d'aller faire prendre une marche à Gabriel, puisqu'il prend son nom au sérieux. Il est un tel gardien que nous devons le museler pour l'empêcher de s'attaquer à tout passant qui représente, il en est convaincu, un tueur sadique.

Le fait que nous, ingrats, l'étouffions pendant qu'il s'adonne à ce devoir civique est purement irresponsable.

Il en perd des bouts. Il n'est pas parfait, mais il vit en toute assurance avec son imperfection. Il s'accepte pour ce qu'il est, un pauvre diable dont le seul talent est d'aimer inconditionnellement.

Comme lui, nous ne sommes pas appelées à devenir parfaites. Nous ne sommes conviées qu'à être aimables.

15 JANVIER

LES DIFFÉRENCES

Mon époux est un extraverti et je suis une introvertie. Nous sommes ainsi terriblement incompatibles. Notre mariage est un miracle, maintenu par l'amour et un étonnement constant face aux étranges manières de l'autre.

Nous sortons prendre une marche, et il parle. Je suis silencieuse, pensive. Il me raconte l'histoire de chacune des maisons que nous dépassons. Il connaît ces histoires parce qu'il est extraverti et qu'il s'arrange pour les découvrir. Je lui rappelle qu'il m'a déjà dit ces histoires deux fois auparavant. Il demeure imperturbable.

Il est occupé à saluer les gens, à parler aux étrangers, s'enthousiasmant de la compagnie de ses semblables humains. Je marche. Cela me suffit.

Notre couple réussit parce que nous trouvons, tous deux, que cela est admirablement amusant, et parce que nous ne croyons pas que nos différentes façons d'être sont des manières que l'autre a de s'entêter.

Il existe une quantité infinie de façons d'aborder le monde. Une façon n'est pas meilleure qu'une autre; elle existe, c'est tout.

16 JANVIER

LE FEU

Ces jours brefs et sombres ont besoin de feu. J'allume des chandelles et un délicat et chaud par-

fum de vanille se répand dans l'air. Et je fais du feu dans le foyer.

Nous ne le transformerons jamais au gaz même si la maison est vieille et froide, et que les bûche doivent être transportées à l'intérieur et les cendres à l'extérieur, et que je sais que cela aspire toute la chaleur du reste de la maison.

Ça ne fait rien. J'ai besoin du feu. J'ai besoin de ses bruits, de son odeur subtile et enfumée emplissant la maison, de sa chaleur dans mon dos quand je m'assois devant le foyer tout en jasant avec une amie.

Un certain ancêtre, toujours vivant en moi après tous ces siècles, se manifeste par les flammes pour me réconforter, et me rappeler que le soleil du printemps s'en vient.

Si nous n'allumions pas de feu ou de chandelles dans la noirceur, nous pourrions oublier comment la mémoire et l'espoir, jumelés, nous soutiennent tout au long des jours.

17 JANVIER

LES LIEUX SACRÉS

Jérusalem. Iona. Chartres. Les gens voyagent vers ces lieux sacrés à la recherche de visions possibles seulement dans le rayonnement de Dieu. Toute la Création est pleine de cette lumière.

Mais il existe certains endroits qui font se joindre la mémoire et le futur avec une force si particulière que le quotidien se défait, et nous pouvons alors voir clairement ce qui est, en grande partie, soustrait à notre regard. Plusieurs

d'entre nous trouvons ces endroits sacrés dans le milieu naturel - la montagne, la forêt, les lacs.

C'est ici que nous réalisons nos pèlerinages ou que nous y rêvons. Pendant que les environnementalistes en font une croisade, les théologiens (certains étant autochtones) lui redonnent la place non plus d'un objet à dominer, mais celle d'un objet qui commande notre respect. À nos yeux, le Nord, l'arrière-pays, les terres inviolées et la mer renferment le Graal.

Notre lieu sacré, se rappelant à notre mémoire, peut nous guérir en un jour de janvier.

18 JANVIER

LE SABBAT

Les dimanches matins, je fais la grasse matinée. Je lis les dernières sections du journal du samedi tout en prenant mon déjeuner. J'apprécie la tranquillité des rues.

Parfois je me rends à l'église sans me presser, vêtue de mes jeans. Je suis certaine que Dieu préfère que j'y vienne ainsi plutôt que je n'y vienne pas du tout. Nous avons besoin de ces jours tranquilles pour nous souvenir que nous sommes plus que notre travail.

Il y a plus dans la vie que l'accomplissement. Nous sommes des créatures qui possèdent une âme, des créatures qui cherchent à comprendre ce qu'elles sont et qui elles sont.

Et même si nous ne sommes pas «religieuses», nous faisons partie de la Création. En cela, nous sommes saintes et nous méritons du repos.

19 JANVIER

LES CONNEXIONS

Un souvenir. Je suis très jeune, âgée de trois ou quatre ans; je laisse ma main traîner dans l'eau à côté de la chaloupe.

Mon père rame; nous allons faire un pique-nique. Le soleil est chaud et je sais que je ne suis en rien séparée de l'eau ni du soleil ni des rames qui grincent ni de mon père.Je n'aurais pas pu mettre ça en mots à ce moment-là. Non pas que je ne possédais aucune conception de ce qu'est une connexion; plutôt, parce que je ne comprenais pas ce qu'est la séparation.

Cela est venu plus tard, un dur apprentissage auquel j'ai résisté mais que j'ai fini par accepter.

Certains films me remémorent présentement ce souvenir. J'apprends à accorder mon respect à cette sagesse de mes quatre ans. *Nell, Phénomène, L'enfant du tonnerre, Six degrés de séparation,* tous ces films prennent pour acquis que nous sommes tous inter-reliés.

Toutes les créatures, petites et grandes, portent la marque du Créateur.

20 JANVIER

LE CHANT

Je ne chante pas très bien. Mais je fais partie du chœur d'une église. J'aime prendre part à quelque chose qui est parfois très beau.Nous faisons des erreurs, c'est certain. Moi, en particulier.

Nous enchaînons trop rapidement ou au contraire, nous oublions de le faire; l'un d'entre nous rate une ligne et tout le reste du groupe la couvre.

Mais ce petit groupe de gens ordinaires, dont quelques-uns ont du talent et d'autres, pas autant, fait tout en son possible pour que chacun paraisse bien chanter.

C'est ce qui fait de nous une communauté. Nous mettons de côté nos personnalités grâce à la musique et à la joie partagée de rendre gloire à la Création, en devenant - dans le soin que nous prenons l'un de l'autre - à la fois chanteur et chant.

Se traiter soi-même et les autres avec le même amour est une forme de chant.

21 JANVIER

LA SAGESSE

La sagesse est généralement le lot des personnes âgées ou des très jeunes. Les petits enfants font preuve de sagesse parce que leur innocence les amène à poser des questions qui indiquent les solutions de certains dilemmes.

Les personnes âgées possèdent de la sagesse à cause de toutes les erreurs qu'elles ont commises. Celles qui ne prennent pas suffisamment de risques, de peur de faire des erreurs, se sentent peut-être en sécurité mais elles n'acquièrent jamais la sagesse.

22 JANVIER

LES AMIS

Nous établissons des horaires farfelus, question d'oublier l'obscurité de ce milieu de l'hiver.

Il y a peut-être des amies que nous ne fréquentons pas assez souvent, surtout si nous avons développé la phobie du téléphone ou si nous sommes introverties.

Nous ne nous rendons peut-être pas compte que les exigences minimales de l'amitié - les rires ou les larmes partagés, une marche dans la neige au clair de lune - n'ont pas été satisfaites. Les vraies amies sont indulgentes et elles laisseront tout tomber pour aller prendre une marche.

23 JANVIER

L'ÂGE ADULTE

Un incident, il y a quelque temps, alors que je conduisais ma mère à l'épicerie. Elle était âgée de plus de soixante-quinze ans et sa vue s'était déjà détériorée.

Faire l'épicerie prend du temps. Elle aime savoir ce qui est écrit sur les étiquettes de ce qu'elle achète.

Tout ce qui est écrit. J'avais l'idée d'acheter de la nourriture pour notre nouveau chiot. Alors que je m'arrêtais devant la section de la nourriture pour animaux, je pouvais entendre très clairement sa voix, couvrant le murmure des autres clients.

«Souviens-toi! Ne le nourris pas trop!

Sinon il vomira tout sur le tapis.»

J'avais 48 ans. Mais ça m'a arrêtée net, avec un sac de nourriture pour chiot dans les mains.

Ça m'a pris quelques minutes avant que je puisse continuer mes affaires, et encore davantage avant que je puisse en rire.

L'âge adulte est une condition bien fragile. L'enfance nous rappelle continuellement à elle.

24 JANVIER

LA JUSTICE

Les gens riches m'intimident. Je n'en connais pas beaucoup et ceux que je connais n'en ont rien à faire de m'impressionner.

Je me sens déjà assez nerveuse, dans les soirées, juste à sentir mon manque de pouvoir et de succès. J'essaie de les traiter aussi bien que des gens pauvres.

J'essaie de ne pas les mettre tous dans le même paquet, comme si, tous, ils désapprouvaient les mères monoparentales qui reçoivent de l'aide sociale. Je suis certaine qu'ils ne sont pas ainsi.

Je suis convaincue qu'ils forment un groupe aussi disparate et complexe que n'importe quel autre. Mais il y a quelque chose en moi, lorsque je me trouve en leur compagnie, qui veut grimper sur la table et se mettre à crier. Il faut repenser le système des impôts pour que cela soit plus juste envers les pauvres. Mettons fin aux abris fiscaux des corporations...» Je suppose que je ruinerais la soirée.

GÂTEZ-VOUS

Une journée pour prendre un soin excessif de soi-même ne doit pas être prise à la légère.

Les revues qui présentent la liste des aubaines des supermarchés offrent des suggestions, mais il faut y penser sérieusement pour se donner en janvier, un Jour de la Réhabilitation. Envisagez ce qui suit :

• Prenez le petit déjeuner au lit, et lisez le journal en prenant votre deuxième tasse de café. (Pour les jours où vous n'avez de temps que pour une petite douceur.)

• Prenez le petit déjeuner au lit, et commencez dès maintenant à lire un long et complexe roman d'un auteur que vous aimez. (Pour les jours où vous disposez d'encore plus de temps.)

• Sortez, allez acheter une copie toute neuve et reliée du dernier ouvrage d'un auteur que vous aimez, n'attendez pas la version en livre de poche.

Déposez-la près de votre lit.

Le matin suivant, prenez votre petit déjeuner au lit, restez au lit toute la journée et lisez le roman, de la première à la dernière page. (Pour les jours où vous avez vraiment, mais vraiment besoin de vous remonter.)

Nous avons parfois besoin d'alimenter la décadente en soi.

Autrement elle devient affamée et nous dévore, tel un requin mal nourri placé dans une piscine publique.

26 JANVIER

LE CONSEIL

Une amie célébrait le tournant de la cinquantaine en demandant à un cercle de compagnes lors d'une soirée, «Quel conseil avez-vous à me donner à ce moment crucial de ma vie ?»

Les réponses furent pleines d'esprit, de générosité et de sagesse. Particulièrement celles qu'ont formulées les adolescentes, sensibilisées aux caractéristiques d'une période de passage.

C'est bien en cela que consiste l'adolescence. L'humilité est une vertu utile. Avec une seule question formulée tranquillement, elle a transformé la dynamique habituelle de nos vies.

Les plus jeunes offraient leurs conseils, les plus âgées écoutaient attentivement.

Nous étions toutes émerveillées. La maturité s'intéresse grandement à ce que les autres ont à nous enseigner.

27 JANVIER

LE TEMPS

Un dicton fort populaire nous apprend que nous devrions jouir du moment présent, vivre ici et maintenant.

Peut-être à l'occasion. Nous ne sommes effectivement jamais plus humaines que lorsque nous sommes tellement absorbées par une tâche que nous en oublions quel jour de la semaine nous sommes.

Nous perdons toute notion du temps en tissant, en sablant un meuble, en faisant du pain, en labourant le jardin, en peignant une pièce ou en faisant la lecture à un enfant.

Mais lorsque nous vivons dans le passé, en y réfléchissant, en le revoyant, ça aussi c'est profondément humain - cette capacité de tenir compte de notre histoire personnelle, de notre histoire collective et de voir comment les deux interagissent.

Et chaque année à ce moment-ci, je passe une partie de mes journées dans le futur, dressant des listes à partir des catalogues des semences, me promenant dans un jardin d'été qui n'en est pas moins agréable du fait qu'il n'a pas encore poussé. Le temps est flexible. Il avance ou recule et nous pouvons nous rendre là où bon nous semble.

28 JANVIER

L'OMBRE

Il m'arrive de rêver à des requins, à des voleurs, à des inondations, à des incendies ou à des catastrophes nucléaires.

Pas mal de violence pour une femme gentille.L'invasion de nos rêves par des créatures violentes ou des gens méchants peut signifier que notre intérieur tente de compenser pour un extérieur trop mielleux. Les êtres humains ne sont pas faits pour être toujours souriants.

Nous sommes faites pour être honnêtes. Des personnes entières, montrant leur côté éclairé et leur côté sombre. Le problème avec le fait d'être toujours gentille, c'est que l'autre côté ne cesse de croître. Cela exige de plus en plus d'énergie pour le

garder caché, jusqu'à ce que quelque chose finisse par céder.

Nous devenons malades ou nous explosons devant une personne qui passe à nos côtés; ou encore, nous retournons cette énergie ombrageuse vers l'intérieur et nous devenons dépressives.Un requin est le meilleur ami d'une dame. S'il en apparaît un dans vos rêves, demandez-lui ce qu'il veut.

29 JANVIER

LE PERFECTIONNISME

Les préparatifs d'une réception au souper peut faire ressortir mon pire côté. Je me précipite dans toute la maison pour nettoyer, en maudissant intérieurement ma famille, ramasser des boules de poils de chien et essayer vainement de faire disparaître de la baignoire ces petits cercles de rouille que fait le contenant de crème à raser lorsqu'il est laissé dans une flaque d'eau.

Si je critique trop, la famille s'éclipse, trouvant toujours autre chose à faire qui soit nécessaire.

Peut-être s'éloigneront-ils à jamais de ces réceptions ?

Le fait est que je n'ai encore jamais vu un invité se promener à quatre pattes pour rechercher des poils de chien ou encore, pour prendre un bain au cours de la réception.

De tels soupers existent pour que nous nous fassions plaisir à la lueur des chandelles. À la lumière tamisée des chandelles.

30 JANVIER

DEVENIR VIEILLE

Ma mère amène parfois un groupe d'amies pour prendre le thé Je suis frappée par la façon dont elles vivent, ces femmes âgées, appréciant les plus simples aspects de la vie.

En les observant, je me rends compte que je ne peux pas croire que la vie devient moins précieuse en vieillissant.

Elle ne le devient pas. La vie n'en devient pas moins précieuse ni rare du fait que quelques membres soient douloureux ou que la vue se fasse approximative.

C'est là une intuition que notre culture essaiera de me faire oublier.

31 JANVIER

LA JUSTICE

Nulle ne peut vivre heureuse dans une société où sévit l'injustice. Nous ferons de terribles rêves dans lesquels nous perdrons nos dents. J'ai rêvé une fois que j'avais la bouche pleine de pelures d'orange, de sorte que je ne pouvais dire un mot.

Ce type de rêves met en évidence les situations de nos vies où nous ne formulons pas les paroles que nous devrions prononcer.

Nous aurons des rêves qui indiquent, dans le langage graphique qui caractérisent les rêves, ce que nous n'arrivons pas à voir. Nous serons dans une voiture dont le conducteur est aveugle; ou dans un autobus, dont le chauffeur est aussi aveugle, pour nous montrer la cécité collective.

Lorsque nous nous accordons le repos dont nous avons besoin, en nous tournant vers l'intérieur et en recherchant notre âme individuelle pendant de longues périodes, nous pourrions être tentées d'oublier que le monde aussi a besoin de nous et nous appelle. La justice et la spiritualité sont inséparables. L'une sans l'autre est incomplète.

FÉVRIER

1ER FÉVRIER

L'ESPÉRANCE SPIRITUELLE

J'étais une petite fille qui parlait aux arbres. Certaines des Premières Nations considèrent que la terre constitue l'utérus qui leur donne la vie.

Lorsque je me trouve en compagnie d'Amérindiens, je sais que cette petite fille savait quelque chose que les adultes ont pratiquement oublié : comment se montrer reconnaissante pour ces présents que sont le bois et la pierre, et toutes ces minuscules créatures qui conservent à la terre sa fraîcheur.

Alors maintenant, avec gratitude, j'enlève la vieille peinture des meubles, je dispose des pierres autour du jardin, je nourris les vers de terre dans le tas de composte.

Et je dis merci à l'arbre, à la pierre et aux petits insectes grouillants pour la manière dont ils aident la terre.

2 FÉVRIER

ÊTRE EN DÉSACCORD AVEC DES AMIES

C'est un art de savoir exprimer une opinion différente de celle d'une amie, sans abîmer la relation d'amitié.Les hommes y parviennent bien. L'autre soir deux d'entre eux, que j'apprécie beaucoup, étaient en train de discuter d'économie.

Ils ont des idées divergentes, du genre à savoir s'il faut parler *du déficit* plutôt que d'un déficit. Tous deux sont des personnes intègres.

Mais l'angle conceptuel sous lequel chacun aborde les questions économiques est à des milles de distance de celui de l'autre.

Ils étaient très clairs l'un pour l'autre. Chaque fois que l'un d'eux prenait la parole, l'autre se retrouvait en une terre étrangère et se débattait pour en apprendre la langue et les coutumes. Chacun leur tour, ils traversaient cette frontière invisible, écoutant avec attention, parlant avec soin.

Chacun avait autant de chance de comprendre ce que l'autre racontait que d'apprendre le mandarin. Mais ils étaient disposés à essayer. Et ils n'ont pas détruit leur amitié.

En tant que femme, j'apprends de cette observation. Nous n'avons pas à nous tenir loin des situations difficiles. Les bonnes amitiés sont assez solides pour survivre à la passion des opinions.

3 FÉVRIER

LES SEMENCES

Un autre catalogue de semences vient d'arriver par courrier, une prophétie en capsule dans l'imprimé et la photographie, un petit hymne silencieux à la beauté.

Aucun travail ne sera accompli au cours de la prochaine heure, alors que je me consacre à ce rituel sacré.

Je prépare du café, je lis, je respire des parfums pas encore répandus et je touche des pétales pas encore formés.

Une amie me téléphonera, toute émerveillée. Nous parlerons dans notre propre langage singulier. C'est comme une sorte d'église.

4 FÉVRIER

LA PERFECTION

«Il y a une brèche en toute chose», dit Leonard Cohen. «C'est ainsi que la lumière peut entrer.» Une femme que je connais fabrique de la poterie, tournant des bols à partir d'une argile tendre.

Parfois l'un d'eux fendille à l'intérieur du four, juste sur le rebord, un vice de forme mineur.

Certains sont des fonds baptismaux. Doit-elle détruire ses créations imparfaites, se demande-t-elle, alors que Dieu nous permet à toutes et à tous, imparfaits, de continuer ?

Alors que Dieu nous aime et qu'Il nous fait signe de venir à lui ?

A-t-elle moins de miséricorde que Dieu ?

Voilà une pensée pour un jour de février. Quelle est cette imperfection dans ma vie qui laisse pénétrer la lumière ?

5 FÉVRIER

LE RÉVEIL

Tel un ressort comprimé par la force intérieure de mon réveil, la mémoire me fait surgir du sommeil à trois heures du matin. Je repense à des choses blessantes que j'ai dites au cours de la journée précédente.

Et mon rire, quel rire stupide que le mien! Ne ferais-je pas mieux de rester tranquille, de ne plus jamais rire ni parler ?

C'est vrai, nous autres les humains ne pouvons pas trop supporter la réalité.Nous voir tels que nous sommes, nos visages devant le miroir, nos souvenirs à trois heures du matin - ça demande du courage juste pour vivre.

Mais la vie est possible. Les grands mystiques ont enseigné le détachement de soi.

Il s'agit de la deuxième étape d'une voie qui en compte trois : premièrement, le détachement du monde; puis, celui de l'ego, de l'image, cette partie qui souffre à cause des remarques idiotes, du rire.

Lorsque nous sommes vidées- et ces souvenirs qui nous assaillent avec tant de fureur à trois heures du matin essaient de s'enfuir, de faire le vide en nous - alors nous pouvons accueillir Dieu.

Comme les mystiques. Le sentier à parcourir à trois heures du matin serpente au sein de ténèbres nécessaires. Mais Dieu s'y trouve.

6 FÉVRIER

MÈRES ET FILLES

Lorsque nous étions jeunes, la seule façon que certaines mères connaissaient pour s'occuper de certaines d'entre nous était de faire constamment des remarques. Elles vivaient à une autre époque; la plupart des femmes possédaient moins de pouvoir, c'était tout ce qu'elles savaient faire.

Elles nous aimaient. Elles ont fait du mieux qu'elles ont pu. C'était parfois admirable, parfois épouvantable.

Nous tentons de ne pas reproduire la même chose avec nos propres filles. Nous ferons mieux.

Et parce que nous vivons à cette époque-ci, avec ces carrières très occupées et ce bombardement continuel par des objets de désir, nous ferons également pire.

Nous avons besoin de beaucoup de force pour commettre seulement nos propres erreurs et ne pas répéter les erreurs des autres.

7 FÉVRIER

LA FOI

J'arrive parfois à vivre avec l'entière certitudeque je suis profondément aimée de Dieu. La plupart du temps toutefois, vaincue par le monde, je perds

la partie. Le dimanche, je m'acharne à me remettre en route vers l'église, dans l'espoir qu'on me dise que oui, en vérité, Dieu m'aime inconditionnellement, sans que je n'aie rien à faire en retour et même lorsque je suis responsable d'un gâchis.

C'est là que l'église a son utilité.

Lorsque les femmes se rencontrent et partagent de la nourriture lorsqu'elles rient ensemble et s'assurent les unes les autres que tout ira bien, alors c'est ça l'église. Même les femmes les moins portées vers la religion, lorsqu'elles rient ensemble et se réconfortent mutuellement dans l'amour et l'acceptation, représentent aussi ce qu'est l'église.

8 FÉVRIER

EMBELLIR LES CHOSES

Il semble que ce soit féminin que d'avoir une soif de beauté telle que nous ne pouvons résister à l'idée de faire le tour des chambres ou du bureau et de ranger, d'ajouter un coussin ici, une touche de vert là.Où que nous nous trouvions, nous devons y mettre du nôtre, comme si les frontières entre nous et le monde extérieur étaient moins étanches que celles entre les hommes et leur monde. Nous nous y répandons, nous l'absorbons en nous-mêmes, avec une telle facilité!

Nous apprenons, nous autres les femmes, à nous définir, à établir nos limites. Voilà qui est bon.

Mais j'espère ne jamais oublier que je fais partie du monde physique ordinaire qui m'entoure, en arborant sa beauté sans même y penser. Le monde est beau en soi; il ne demande qu'à être admiré.

LA RAGE

Le lien que nous avons avec un pays est complexe. Je suis touchée par ce qui arrive aux autres gens dans mon pays.

Si une mauvaise politique publique signifie que des enfants auront faim, j'écris des lettres, je deviens confrontante - un pas énorme à faire pour une personne timide.

Lorsque je perds de vue le souffle du changement dans ma vision de l'histoire, je me décourage. Je cultive alors mon jardin.

C'est ce que Voltaire disait que nous devions faire. Plusieurs l'ont traité de cynique pour cette raison, et peut-être l'était-il.

Ce n'est cependant pas le cynisme mais bien l'espoir qui me ramène à l'extérieur pour voir comment la vie s'obstine à renaître, comment chaque capucine, chaque perce-oreille possède le désir ardent de vivre.

Lorsqu'il fait chaud et sec, les pétunias s'affaissent et se flétrissent pour conserver leur humidité, se relevant comme par miracle lorsque les conditions s'améliorent.

Ils m'apprennent des choses. Leur force entêtée s'infiltre en moi. Je creuse, sarcle et arrose; je me repose et la force de la Création me nourrit d'espoir.

10 FÉVRIER

LES PLEURS

Parfois il m'arrive de m'asseoir à l'église et de me mettre à pleurer. Je ne sais pas trop pourquoi. Ça a quelque chose à voir avec le sentiment d'être prise au piège par l'émotion soudaine qui m'assaillit pendant que j'écoute le sermon ou le chœur des enfants.

Dans la tradition orientale orthodoxe, m'a-t-on dit, les larmes sont un signe de la présence de Dieu. Sans doute est-ce pour cela que je pleure lorsque des enfants chantent bravement des hymnes dont les mots les dépassent eux-mêmes.

Ils en disent plus long sur la sainteté qu'ils l'imaginent et ils appellent la présence de Dieu en nous tous.

11 FÉVRIER

LES ENFANTS

Les enfants apparaissent occasionnellement dans nos rêves. Il vaut mieux considérer ces rêves comme si l'enfant réel était venu nous voir, nous faisant ainsi l'honneur du cadeau de sa confiance, soudaine et spontanée. De tels rêves décrivent nos créations, un geste hospitalier, une participation à un jeu, une amitié grandissante.

Tout ce qui vit et grandit en nous. Nous pouvons demander à nos «enfants de rêve» comment ils se nomment et ce dont ils ont besoin. Ils répondent parfois.

12 FÉVRIER

LA CROYANCE

Restreindre la spiritualité à une série de règles est une terrible erreur. Ces règles ne demandent qu'à être brisées. L'autre jour une femme me raconta qu'elle avait pardonné à Jésus du fait qu'il avait présenté seulementla moitié de l'équation en invoquant uniquement

Dieu le Père, au lieu d'en appeler aussi, à l'occasion, à Dieu la Mère. Il était un enfant de sa culture, me dit-elle. Cela m'a plu de voir comment elle tournait les choses à l'envers.

Sa proposition, à l'effet que celui qui nous enseigne tout en matière de pardon a aussi besoin d'être pardonné, est vraiment rafraîchissante. J'ai le goût de cette nouveauté.

Lorsque quelque chose, la doctrine du féminisme comme celle de toute tradition religieuse, devient attachée à des règles, nous voulons la défier. Ève qui tend la main pour prendre la pomme, pour sentir sa peau si douce... Les femmes peuvent penser par elles-mêmes.

13 FÉVRIER

LE CARACTÈRE SACRÉ DES ENFANTS

Le monde est sacré, non seulement comblé de la gloire de Dieu, mais sanctifié en lui-même. Ce n'est pas pour nier la présence du mal, auquel je fais face aussi intensément que possible tout en demeurant saine d'esprit. Le mal, il existe dans les politiques publiques qui négligent la protection des enfants en les obligeant à vivre dans des habitations insalubres ou à recourir aux banques de nourriture.

L'existence du mal est évidente sans que nous ayons à en énumérer les détails.Mais Dieu se promène ici, aime cet endroit et invite ses créatures bien-aimées d'y établir leur demeure.

Non pas au ciel (bien que là aussi peut-être), mais sur la terre. Une terre où il n'y a pas de «journées-pizza» dans les écoles si tous les enfants ne peuvent pas se le permettre, ni d'excursions scolaires à moins que chaque enfant ne possède les moyens d'y participer.

Les femmes savent que, de tout ce qui existe dans cet univers sacré, rien n'est davantage sacré qu'un enfant.

14 FÉVRIER

LA TRISTESSE

Il y a des moments où nous nous sentons tristes, tout simplement. Quelque chose de ténébreux a émergé au travers des fissures de notre âme. Cela se produit souvent au mi-temps de la vie. Nous sommes alors suffisamment fortes pour être tristes.

L'âme attend que nous soyons entourées d'amis et que nous ayons développé la force de la maturité pour nous proposer de procéder à notre travail intérieur. Cette inexplicable tristesse nous invite tout bonnement à devenir enfin intègres.

15 FÉVRIER

SE RÉVEILLER

Quand les choses se passent si vite dans la vie que nous n'avons pas le temps d'y réfléchir au cours de la journée, elles reviennent pendant la nuit et nous réveillent. L'esprit humain veut comprendre. Nous sommes des créatures conscientes d'elles-mêmes.

Nous en sommes fatiguées le lendemain et le rythme de la vie devient ainsi plus tourmenté; nous avons alors encore davantage besoin de nous réveiller au cours de la nuit pour penser aux choses auxquelles nous n'avons pas le temps de réfléchir pendant la journée.

Se mettre au lit de bonne heure facilite les choses. Si notre psyché a besoin de temps, nous pouvons l'y aider. Nous pouvons dormir pendant quelque temps, nous réveiller aux heures tranquilles de la nuit et faire la réflexion qui s'impose.

16 FÉVRIER

NOURRIR LES OISEAUX

La vie semble fragile en ces jours froids et courts. L'érable qui se trouve devant ma fenêtre a l'air mort. Il n'y a rien dans ce paysage surgelé qui laisse penser qu'il y a quelque chose qui reverdira un jour.

Exception faite des mésanges à tête noire, des gros becs et des geais bleus qui s'arrêtent en passant pour se nourrir dans les mangeoires. Je remplis les plateaux de petites graines noires pour les mésanges, de graines de tournesol pour les gros becs et d'arachides pour les geais.

Et les écureuils. Ils agrémentent les arbres d'une activité rassurante. Même lorsqu'ils piaillent et se chamaillent entre eux, leur présence est une belle récompense. À nourrir les oiseaux, on connaît l'esprit de Dieu.

17 FÉVRIER

LE TRAVAIL

Je fais partie de la première génération de femmes pour lesquelles une carrière répondait tant au besoin d'acceptation de soi qu'au besoin d'argent. On s'attend de nos jours à ce que les femmes remportent autant de succès que les hommes dans la collection des honneurs,des titres et des promotions.

Je n'ai aucun problème avec ça. Nous avions besoin d'être plus affirmatives, indépendantes, articulées et confiantes; nous y sommes parvenues et ça n'a pas été facile. Mais nous devons également avoir la présence d'esprit de nous rendre compte que cela ne définit pas qui nous sommes. Nous sommes plus que notre travail. Nous sommes plus que nos enfants, que nos amants et que nos maisons, bien qu'ils peuvent tous nous être précieux. L'essentiel est une autre chose, aperçue seulement à l'intérieur de nos rêves et dans ce qui nous fait rire ou pleurer. Certains l'appellent l'âme. Ce que nous faisons ne peut jamaidéfinir qui nous sommes.

LE MYTHE PERSONNEL

Nous nous fabriquons une histoire de sorte qu'on puisse avancer dans la vie.

Il s'agit d'une certaine fiction qui cherche à atteindre la vérité et qui en découvre souvent.

Mais la créature ne peut avoir l'œil aussi englobant que celui du Créateur. Nous ne voyons que notre propre réflexion.

Peu importe. Une histoire est une bonne chose en soi.

Il arrive parfois que cette histoire soit interrompue par une cri d'angoisse et alors, notre infatigable raconteuse d'histoire intérieure fait une pause dans sa narration.

Un personnage principal de l'histoire meurt ou l'héroïne connaît un échec retentissant.

L'action devient hésitante à ce moment-là - notamment lorsque le mythe intérieur présente une femme-qui-peut-tout-faire.

C'est correct. La narratrice ne sera pas décapitée, surtout si elle arrive à insérer ce cri à l'intérieur de son histoire.

Le mythe contiendra encore plus de vérité qu'auparavant.

L'intégrité naît de la conscience de notre douleur et de la perception, avec amour, de notre vrai soi ne serait-ce que pour un instant.

TOMBER EN AMOUR

Un excellent énoncé descriptif : tomber en amour. Il rappelle cette vieille blague au sujet d'un optimiste qui tombe d'une fenêtre du quatorzième étage et que l'on entend dire alors qu'il se trouve au niveau du balcon du sixième étage,

«Jusqu'à maintenant, tout va bien!»

La plupart d'entre nous sommes en chute libre incontrôlée, emballées dans l'espoir. Par contre, il y a plus que ça ici.

Tomber en amour nous en apprend plus sur nous-mêmes que toute autre expérience, exception faite de la haine.

C'est parce que nous aimons et détestons ce qui se trouve, d'une manière infime, à l'intérieur de nous-mêmes.

Nous haïssons parce que nous percevons notre propre avidité, notre ignorance ou notre malveillance sur le visage de l'autre personne.

Nous aimons parce que nous recevons de l'autre un écho tangible de notre bonté, de notre compassion et de notre sagesse - des vertus rarement présentes en nous mais que nous désirons y voir.

NE RIEN DIRE

Une des plus grandes habiletés de conversation que je connaisse, c'est de ne rien dire.

Avec nos enfants par exemple. Ils nous confient parfois des choses, que ce soit au sujet des plans qu'ils élaborent pour leur vie ou de la façon dont ils prévoient passer la soirée.

Nous décelons peut-être des lacunes dans leur raisonnement; mais à moins que ces projets ne représentent une menace pour leur santé ou celle des autres, il vaut pratiquement toujours mieux laisser nos enfants s'en rendre compte par eux-mêmes.

De cette façon, ils découvriront comment fonctionne la vie. Et avec de la chance, ils pourront vous permettre, un peu plus tard, de prendre part au processus de leur réflexion. Ou encore nos amies.

À moins qu'elles ne demandent sincèrement et directement un conseil, il vaut beaucoup mieux ne pas en donner.

Il y a toujours la possibilité que ce conseil soit bon pour nous, mais pas pour elles. Il y a aussi la possibilité que ce conseil soit bon pour elles; mais puisque leurs propres mères leur donnaient toujours des conseils sans qu'elles le demandent, elles peuvent aujourd'hui y opposer une résistance parce qu'elles ne pouvaient pas le faire à l'époque de leur enfance.

La vraie sagesse dit de temps à autre, «Hmm, intéressant!», mais elle ne s'impose pas à moins qu'on ne le lui demande.

LA SAGESSE MASCULINE

Certaines femmes démontrent une rage constante à l'égard des hommes en général. Nous sommes plusieurs à être blessées par des certains hommeset plusieurs à être abusées par des systèmes dominés par les mâles.

Mais ça ne signifie pas que le principe masculin est entièrement pourri. Au niveau de l'espèce, hommes et femmes avons beaucoup plus de choses en commun que de choses qui nous séparent; nous comprenons et nous prenons part aux façons d'être de l'un et de l'autre beaucoup plus que nous ne le savons.

Nous avons besoin l'un de l'autre. Une fois, à la veille d'un voyage important dont l'idée me terrifiait, j'ai rêvé à un vieil et rude journaliste.

Ce personnage de rêve, inhabituel pour moi, affirmait en toute confiance à quel point j'étais une bonne journaliste et il me disait quel traitement je devais faire de l'histoire.

Ce rêve m'a accompagnée tout au long de ma mission. J'avais besoin du principe mâle, logé en moi, pour passer au travers.

La sagesse masculine est aussi valable que la nôtre. Nous nous faisons du tort si nous manquons de le reconnaître en nous-mêmes et chez les autres.

22 FÉVRIER

LA MÈRE PARFAITE

Nulle ne peut être la mère parfaite et il n'y a pas d'experte en maternité; il y a trop de mystère. Je connais des mères qui ont fait toutes les bonnes choses à faire et qui ont tout de même éprouvé une grande souffrance au niveau de leur vie familiale.

Et je connais aussi des mères qui ont fait tout ce qu'il ne faut pas faire et dont les enfants sont patients et aimables à la folie avec eux.

Éduquer des enfants est un grand mystère, un voyage dans l'inconnu. Nous ne devrions pas nous sentir malheureuses comme parents si nous frappons un mur à un moment donné.

La plupart d'entre nous y faisons face pendant un certain temps.

23 FÉVRIER

DIEU

Tout en voulant trouver des indices sur notre Dieu, nous racontons des histoires.

L'une de mes préférées est l'histoire de l'exil de Babylone dans laquelle les Israélites (peu importe qui nous sommes, dans ces histoires c'est nous les Israélites) sont emmenés prisonniers, puis ils sont rappelés chez eux par Dieu après cinquante ans d'une vie de misère à Babylone. Il y a aussi celle au sujet du fils prodigue. Il fut rappelé à la maison, vous vous en souvenez, par la malchance qu'il s'était lui-même attirée et il fut accueilli par son père avec une grande joie. J'ai besoin de ces histoires où Dieu apparaît comme un père généreux, et non comme un juge sévère qui exige un prix à payer avant de pardonner.

C'est celle qu'on entend le plus souvent, celle où Jésus meurt pour nous sauver.Quand j'ai un différend avec quelqu'un, et que je me sens éloignée de leur amour, j'ai plutôt besoin d'entendre comment

Dieu, en bon parent, veut rétablir l'harmonie et la paix dans notre monde.Parfois tout ce que nous voulons, c'est retourner chez nous.

24 FÉVRIER

LES LIENS

Je parle beaucoup avec l'homme qui a construit ma maison. C'est toute une prouesse; je ne l'ai jamais rencontré.

La bâtisse a quatre-vingt-dix ans et il est décédé. Je lui dis à quel point j'apprécie la façon dont il a disposé de grandes fenêtres face au sud, donnant sur la cour arrière et les grosses roches qu'il a fait placer d'un côté. J'en ai fait un jardin de roches.

J'aime la manière dont les fenêtres qui longent la rue, face au nord, sont soignées et peu nombreuses. C'est comme s'il avait deviné que, presque cinquante ans plus tard, il y aurait beaucoup de circulation ici et que la maison souhaiterait alors faire face au sud, n'ignorant pas vraiment la rue mais la traitant seulement avec méfiance.

J'aime la courbe de l'escalier, l'angle que fait le soleil avec les fenêtres au couchant, et je le lui dis. Je le remercie pour l'érable qu'il a planté.

Sa vie me touche profondément. Et nous ne nous sommes jamais rencontrés. C'est cela le sens de l'histoire. C'est vrai pour les maisons et pour les nations.

Nous sommes absolument reliées au passé, aux gens que nous n'avons jamais croisés mais avec lesquels nous partageons le même espace géographique.

Il existe toujours une nuée de témoins autour de nous. Il est sage de les saluer à l'occasion.

25 FÉVRIER

LA JUSTICE APPROXIMATIVE

Comme toute autre chose, la justice est rarement parfaite. (Par exemple, l'auteure Marie Fortune - dont les ouvrages sur les questions des abus sexuels, notamment ceux commis à l'intérieur des Églises, ont ouvert de nouvelles avenues - affirme que les femmes qui ont été violentées doivent souvent se contenter d'un semblant de justice.

«Les victimes méritent davantage,» dit-elle, «mais elles doivent au moins avoir une justice approximative.») Les femmes ont besoin de vivre leur vie en sachant ce qu'est la justice, en la désirant pour elles-mêmes et pour les autres.

Mais la vie est livrée dans un contenant défectueux pour tous. La capacité de vivre avec une certaine quantité d'ambiguïté un outil utile dans la vie. Une femme sage se bat pour la justice et en même temps, accepte la vie.

26 FÉVRIER

JACOB

Nous nous retrouvons dans les histoires. Je suis toujours surprise de constater à quel point je me reconnais dans les histoires où les hommes sont les personnages principaux. Jacob, par exemple - celui qui se bagarrait avec un ange, ou avec Dieu, ou avec quiconque était ce visiteur nocturne. Il se débattit durant toute la nuit et il ne subit pas la défaite.

Il n'a rien gagné non plus; il n'a fait que continuer à se battre, à survivre, à ne pas abandonner, conservant ses acquis jusqu'au petit matin.

Tout comme le font les femmes. Voilà pour quoi je l'apprécie. Il m'aide à me souvenir que seulement tenir bon est déjà une forme de victoire.

27 FÉVRIER

LES AMIES

Avant de pouvoir devenir les bonnes amies de quelqu'un, nous devons bien nous connaître nous-mêmes. Être une bonne amie, c'est faire preuve d'empathie - cette capacité de se distancier de ses propres problèmes et passions pour se laisser complètement absorber par les problèmes et les passions de l'autre.

C'est comme être une voyageuse dans le temps. Pour ainsi dire impossible, surtout du fait que nous devons maintenir une corde attachée à notre propre

personne. Pénétrer dans les problèmes d'une autre personne ne peut être d'aucune aide si nous ne pouvons pas y apporter notre propre point de vue. Si je ne possède ni solidité, ni force, ni identité propre, je ne suis pas utile à mon amie.

L'une de deux choses se produira. Je pourrais entrer dans sa vie, mais n'ayant pas un lien suffisant avec ma propre expérience de vie, je ne peux m'y référer et lui venir en aide. Il n'y aura pas cette clarté exaltante qui surgit lorsque nous pouvons apercevoir tous les aspects du problème parce que nous les considérons avec deux paires de yeux.L'autre possibilité - sage, sans doute - est que je n'entrerai pas profondément dans sa vie. Sans une forte identité personnelle, je ne retrouverais peut-être pas ma propre personne.

Une voyageuse du temps sans sa corde. Tenir un journal. Prier. Découvrir qui nous sommes est la façon d'apprendre à devenir une amie.

28 FÉVRIER

LES ANGES

Le théologien américain Walker Wink affirme qu'il existe un ethos, un ange appartenant à chaque institution.

Il explique cette idée à l'aide des lettres de Jean aux «anges de l'Église» dans le Livre des Révélations. J'aime cette pensée que les lieux sont habités par des anges.

Un jour, un grand jeune homme s'arrêta devant ma maison et nous appris qu'il avait vécu ici avec six frèreset sœurs. Ces enfants ont créé une énergie bien plus importante que le mortier et la brique. Un bon ange réside ici. Lorsque nous

avons emménagé par exemple, un groupe de touristes sud-africains visitant le nord de l'Ontario est venu pour faire de la musique, danser et manger de la nourriture africaine.

L'ange de la maison a beaucoup apprécié. Il a visiblement pris l'envergure nécessaire pour envelopper cette célébration. L'ange de la maison aime les petites notes que mes filles placent partout dans la cuisine, et les revues que l'on retrouve à tous les niveaux de la maison, et le chien, et la sonnerie du téléphone quand les plus vieux reviennent du collège.

L'odeur du café. Avoir de la compagnie. L'ange de cette maison m'offre sa sympathie lorsque je reste debout après minuit à cause d'une date de tombée. Cette maison, comme toute autre, est remplie d'une présence.

Et cette présence, cet ange, n'est pas figé, il est potentiel. L'ange d'une institution peut être interpellé, affirme Wink.

C'est quelque chose à considérer. Si l'ange d'une maison, ou d'un lieu de travail, nuit davantage qu'il n'aide, on peut lui demander de changer. C'est dans la nature des anges.

29 FÉVRIER

LE CIEL

Il est important d'avoir un sens critique face à notre foi. Le commandement de Jésus de «devenir semblable au petit enfant» a été interprété de manière à ce que nous ne pensions pas par nous-mêmes et que nous fassions confiance à quiconque nous dit quelque chose.

Mais tout le monde sait que c'est la chose la plus dangereuse que peut faire un enfant. Il en est de même pour les enfants de la foi. Les femmes connaissent bien le prix que nous avons payé pour avoir accorder une trop grande confiance aux patriarches - des siècles à être sainte ou prostituée, vierge ou femme vertueuse.

Nulle n'est une personne intègre; seulement des caricatures sans relief, certaines sans lumière, d'autres sans ombre.

Le ciel aussi représente l'objet d'une réflexion prudente. Sommes-nous tenues de souffrir durant cette vie, dans l'espoir d'une récompense après ? («Le paradis à la fin de vos jours», disent certains qui ne semblent pourtant pas particulièrement attachés à cette façon de voir les choses.)

Ou la terre est-elle un endroit où le ciel peut-être perçu et recherché, une place où nous nous battons pour rendre les choses acceptables ?

MARS

1ER MARS

LA TRANSFORMATION

À certains moments, de grands changements surviennent dans notre relation avec Dieu. Ça ne se passe pas facilement, évidemment.

Nous tombons malades ou nous ressentons du chagrin, nous faisons des rêves étranges, et puis un beau jour, au beau milieu de notre désar-

roi, se produit un éclat, voire une explosion de lumière. Dieu devient plus près qu'avant. Ce rythme créé par les moments d'obscurité suivis de moments lumineux démontre bien ce qu'est la foi. Le dimanche, nous souhaitons la transformation - l'élan de nos âmes vers Dieu.

Pour y arriver, nous passons au crible l'histoire chrétienne, revivant année après année la souffrance et l'exaltation de la naissance, de la mort et de la résurrection.

Ce mois-ci ou le prochain, pour la deux millième fois ou presque, nous allons raconter une fois de plus comment Jésus est mort, comment son corps fut déposé dans un tombeau que Joseph venait tout juste de creuser à même le roc.

Plus tard, aussi perturbées que si nous ne l'avions pas déjà entendu auparavant, nous chanterons à nouveau l'histoire de Jésus qui, transformé, se lève et quitte ce endroit lugubre.

C'est Dieu qui procède à la transformation. Être conscientes de cela peut nous aider à passer à travers nos moments de noirceur nécessaires. Nous ne pouvons pas éviter nos vendredis saints, nos descentes en enfer.

Mais nous pouvons avoir confiance que nous nous relèverons, plus près de Dieu qu'avant, puisque la lumière et la tombe font partie de son plan divin.

2 MARS

LE TRAVAIL INTÉRIEUR

Qui eut pensé qu'il eut été si menaçant de fouiller le cœur dans ses profondeurs. Qui eut songé qu'il y régnait un tel fouillis. Tout au-dedans, ici, baignant dans l'obscurité

Je n'aurais pas poursuivi ces dragons. Laissée à moi-même. J'espérais pouvoir y entrer. Avec de l'aide. J'aurais dû savoir qu'il n'y a que moi, seule et frémissante qui puisse affronter ces griffes. Et rendre la liberté à ce moi-même dont je suis la créatrice.

3 MARS

LES AMIES

La chose la plus difficile lors d'un déménagement est de quitter de bonnes amies. Évidemment, nous ne nous en séparons pas pour de bon.

Nous entretenons le contact en écrivant, en visitant ou en téléphonant.

C'est là un grand plaisir. Lorsque nous déménageons à nouveau, nous avons alors deux groupes d'amies à qui écrire, à visiter ou à qui téléphoner, en plus des nouvelles amies de la nouvelle ville, car qui peut vivre sans bonnes amies dans son entourage.

Et puis survient un autre déménagement... Maintenir vivantes les amitiés demande de l'énergie. Il ne s'agit pas d'un travail dans le sens habituel du mot, ça ressemble davantage au jardi-

nage; les heures passent sans les compter, par pur plaisir. Mais le manque de temps impose des limites à l'intimité.

N'importe qui peut avoir un certain nombre de connaissances chaleureuses, mais l'amitié c'est différent. Un déménagement peut s'avérer nécessaire.

Mais nous devrions tenir compte du coût, reconnaître les sacrifices et les désagréments. Un deuil qui ne se fait pas resurgit sous la forme de colère ou de dépression.

4 MARS

LES FEMMES SAGES

Ma grand-mère maternelle apparaît parfois dans mes rêves, parfois sous une apparence que je reconnais à peine.

Elle est plus jeune que je ne le suis maintenant, avec de très longues tresses blondes enroulées sur le dessus de sa tête, et charmante. Je suis avide de savoir ce qu'elle a à dire. Ma grand-mère est venue d'Écosse, seule à l'âge de seize ans, pour entreprendre une nouvelle vie. Les femmes faisaient cela à cette époque. Je ne peux m'imaginer un tel courage.

Mais je sais que lorsqu'elle surgit, je suis rassurée; peu importe ce qui s'en vient, les ressources dont j'ai besoin se trouvent en moi, inscrites dans mes gènes et conservées dans la mémoire et la longue histoire de ma famille. La sagesse des femmes de nos rêves est la nôtre.

5 MARS

CHEZ-SOI

Des femmes vivent loin de chez elles, réfugiées en une terre étrangère où ce que vous achetez semble plus important que ce que vous ressentez. Nous vivons en un lieu où le fait d'être minces ou grasses, bien vêtues ou non, comporte une importance capitale, et où les jeunes filles commencent à se mettre au régime à l'âge de dix ou onze ans.

Ce n'est pas notre véritable demeure. Être femme, c'est être assez forte pour donner naissance à un enfant ou à une idée. C'est être assez forte pour défendre cet enfant qu'il s'agisse d'un enfant humain ou d'une idée). Être mince a peu de choses à voir à cela. Nous devons nous souvenir de notre vraie demeure.

6 MARS

JACOB

Les histoires qui sont rapportées dans les écritures saintes, de quelque confession que ce soit, s'y retrouvent parce qu'elles éclairent quelque chose en nous. Jacob, par exemple. Encore lui, celui qui se disputait avec un ange.

Il (un homme) m'enseigne à moi (une femme) au sujet de l'identité. Il s'est battu et fut blessé; il reçut un nouveau nom. Israël.

C'est ainsi que font les femmes. Nous nous débattons avec les relations, l'argent, les enfants et inévitablement, nous en ressortons avec des blessures.

Mais si nous faisons preuve de sagesse et si la chance nous sourit, nous découvrirons qui nous sommes : fortes et distinctes, interdépendantes et bienveillantes; en boitant peut-être, comme Jacob, mais avec le sentiment d'être accomplies.

Nous serons appelées - comme dit la chanson - Femmes.Acquérir cette identité prend du temps. Ça s'est aussi avéré une longue nuit pour Jacob.

7 MARS

LES MÉDIAS

Certains écrivains ont bien peu de compassion pour les églises. Je m'interroge là-dessus. C'est peut-être que le scepticisme nécessaire à l'écriture contrecarre la confiance trop aveugle que demandent les églises.

Ou peut-être que de se mettre habilement au diapason avec la société qui les entoure, une démarche nécessaire à l'écriture, amène certains à afficher cette répression culturelle de la spiritualité. Ce que nous craignons, nous le réprimons.

La poursuite de la richesse par notre monde, plutôt que de la compassion, est mise au défi par cette affirmation qui dit que Dieu aura raison des puissants.

Les yeux de la foi lisent entre les lignes. Si un auteur ne cherche qu'à maintenir le statu quo, lisez attentivement.

L'AUTORITÉ

Il m'arrive de donner des leçons d'écriture créatrice en soirée. Le premier atelier est ardu; je rentre à la maison, me mets au lit et j'essaie de dormir. Mais une voix intérieure moqueuse me tient éveillée.

«Qui crois-tu être, femme ?» me dit-elle. «Tu ne connais rien à l'écriture.»«J'en connais un peu au sujet de la vie», que je réponds faiblement. «Un peu au sujet des gens.»

La voix se met à glousser. «Assez pour savoir que tu ne peux enseigner! Hahahaha!»

Je n'arrive pas à dormir. Je passe en revue tout ce que j'ai dit, ce que chaque élève a dit. Je me relève et j'écris tout ce que je dirai la semaine suivante pour corriger l'impression que j'ai pu laisser cette semaine.

Je ne suis pas la seule à avoir peur. Il nous est facile à nous les femmes de miner notre propre autorité, de croire que nous n'en avons aucune.

Plusieurs d'entre nous avons cette inflexion interrogative dans la voix à la fin d'une phrase qui indique que nous demandons à être corrigée. Nous nous en remettons aux hommes dans les assemblées et ne prenons la parole qu'après qu'ils aient dit ce qu'ils avaient à dire.

Nous évitons de prendre les micros. Ce n'est pas étonnant. La voix de notre culture comporte des surnoms terriblement obscènes se rapportant aux femmes.

«Reste à ta place», dit-elle tout bonnement. Mais il est possible de faire taire cette voix. Je con-

tinue à enseigner, mes élèves me sont loyaux, il doit bien y avoir quelque chose de correct.

La voix se fait plus silencieuse au fur et à mesure que les semaines passent.

La plus grande autorité réside à l'intérieur de soi, indépendante du monde extérieur, démontrée et renforcée par notre propre expérience.

9 MARS

LES REPAS SACRÉS

Au souper de Noël, la première fois depuis des années que tous les frères et sœurs étaient réunis au même moment.

Ou le premier repas après que le nouveau-né soit entré à la maison, celui qui fut prématuré et que nous avons failli perdre.

Le repas du midi avec une amie, après que vous ayez pensé que l'amitié n'existait plus mais qui était toujours présente. Le déjeuner que les enfants vous apportent au lit.

Le dernier repas d'anniversaire lorsque grand-père était toujours vivant. Les grillades de lard sur le feu de camp, le travail occupant moins de place, l'été s'étirant devant nous.

Il n'est pas surprenant qu'il existe des histoires au sujet des gens qui disent avoir partager un repas avec un dieu : Jésus, séparant le pain sur la route d'Emmaüs; la légende grecque de Baucis et Philémon dont le pichet ne cessait de verser du lait. L'hospitalité, cet accueil chaleureux des autres, ouvre également la porte au divin.

GRANDS-MÈRES, FILLES ET PETITES-FILLES

«Est-ce que ça te dérange,» me demande ma fille de douze ans, alors que nous reprenons place dans l'auto après avoir reconduit grand-maman avec ses provisions d'épicerie, «si je crie juste pour une minute ?»

Elle venait d'accompagner grand-mère à travers les rayons du magasin et la lecture de ses étiquettes. Elle avait écouté tous les conseils, transporté les provisions et l'avait embrassée en lui disant au revoir.

Elle aime grand-mère d'une affection sans réserve, de tout cœur, mais ces étiquettes l'ont quasiment rendue folle. «Bien non, vas-y», lui dis-je.

Et nous nous mettons toutes deux à crier pendant une bonne minute, au beau milieu de la circulation. Puis nous pouffons de rire tout le reste du chemin.

«J'aime beaucoup grand-maman», dis-je à ma fille. «Je l'aime parce qu'elle est ma mère et parce que je sais qu'elle nous aime plus que tout au monde.

Mais je pense des fois que sa lecture des étiquettes va me rendre cinglée.» «Merci de ne pas faire ça avec moi», me dit ma fille en pensant à l'avenir.«Je trouverai bien quelque chose, ne t'en fais pas», que je réponds. L'exaspération et l'amour viennent du même recoin habité de nos cœurs.

LES ANGES

Certaines personnes, particulièrement les enfants, voient les anges. Ou elles lesentendent, une musique indescriptible venant des sphères qui nous attirent vers le divin. Notre culture est ambivalente face aux anges.

D'un côté, elle en fait des épinglettes et des cartes de souhait et de l'autre, elles les ignore; elle les reconnaît rarement comme des messagers de Dieu. Ils méritent mieux de notre part.

Leur préoccupation à notre sujet adoucit nos travers endurcis en cette époque de pauvreté de cœur.Même si nous ne pouvons pas les voir, nous pouvons encourager l'ange de notre maison à être hospitalier et chaleureux, et peut-être un peu désordonné en ce qui a trait aux papiers, aux livres et aux plantes.

Même dans nos états d'esprit les plus rationnels, nous pouvons regarder ailleurs que sur nos écrans d'ordinateur et nos magnétoscopes, et accueillir quelque chose de vivant.

Et nous pouvons être réceptives à ces messagers lorsqu'ils apparaissent : ce personnage dans un rêve qui propose sa sagesse, cet étranger qui nous surprend par sa générosité spontanée, cette chanson qui nous émeut aux larmes dans la voiture en route pour le travail.

Le monde est chargé de sens, débordant de signification. Mais nous devons y être attentives et lui donner un nom. «Anges» fait bien l'affaire. L'univers nous dit que nous sommes bien-aimées.

12 MARS

UNE NOTE DE JUSTICE

Nous tombons en amour avec un certain endroit. Enfant, nous écrivions notre nom et notre adresse, en commençant par la rue et terminant, avec un air de triomphe, en inscrivant «le monde», «l'univers».

Nous nous donnions une place spécifique dans le cosmos. Je vis maintenant dans le nord de l'Ontario, non loin d'un lac du territoire Ojibway. La distance que je peux couvrir à pied ou à bicyclette délimite pas mal l'endroit où je vis véritablement. Mais j'ai également à cœur d'autres parties du Canada.

Un des enfants est né au Québec, un autre vit en Colombie britannique, des amis chers habitent dans d'autres provinces. J'ai vécu l'histoire de tout ce pays.

Je suis Canadienne. Alors j'aspire à l'intégrité du pays, comme je le fais en ce qui concerne ma personne. Je désire ardemment la justice telle une grande rivière qui conduit tout le monde vers la liberté. La spiritualité est autant un voyage extérieur qu'intérieur.

13 MARS

UNE NOTE D'AGRÉMENT

Le moment que redoute tout parent. Notre fille de dix-sept ans emprunte la voiture familiale pour la fin de semaine, pour se rendre avec des amies à des centaines de kilomètres de la maison.

De quelque part dans les profondeurs de ma peur me viennent ces mots. «Vous pourriez avoir un accident.

Et si ça arrive, souviens-toi, la seule chose qui importe c'est que toutes trois vous soyez saines et sauves. Tu représentes tout ce qui nous est le plus cher. Si quelque chose arrive et que la voiture est foutue, n'y pense même pas.»

(Il reste encore une année de paiements à faire sur l'auto, mais peu importe, c'est pour ça qu'il y a des assurances, ai-je pensé sans le dire.)

J'ai serré ma fille dans mes bras et ça m'a suffi. Si, grâce à un miracle, nous trouvons les bons mots avant même d'en avoir besoin, il est sage de les dire à haute voix.

14 MARS

DONNER UN CONSEIL

J'aime voir et entendre de bonnes amies en train de faire la conversation. Il survient parfois un moment, alors que quelques amies parlent ensemble depuis un certain temps, que vous vous rendez compte à quel point vous vous faites confiance l'une à l'autre. L'une d'elle demande un conseil à une autre.

Le demande en toute honnêteté, pas seulement par politesse. Et l'autre de répondre tout d'abord : «Eh bien, toi-même, qu'est-ce que tu en penses ?»

La chose la plus formidable se produit. Surtout si toutes les personnes présentes font suffisamment preuve de patience et attendent tranquillement. Celle qui a posé la question, qui a besoin du conseil,

commence à trouver en elle-même toute la sagesse nécessaire. Elle pense à haute voix.

Les autres écoutent attentivement et confirment les meilleurs éléments, ajoutant ainsi humblement au nid délicat des pensées qui est en train de prendre forme.

Toutefois, la pensée première, originale vient de l'âme même de la personne qui en a besoin. Et c'est là le meilleur conseil qui soit pour elle. Les spectatrices doivent retenir leur souffle collectif et rester immobiles.

Si tout va bien, elles peuvent y ajouter leurs plumes et leurs brindilles, toujours timidement, sans jamais imposer leur ego dans la vie d'une autre personne. Reconnaître et laisser se dire la sagesse intérieure d'une autre personne est l'une de formes d'amour les plus pures.

15 MARS

LA VIE DÉSÉQUILIBRÉE

Même sans le savoir, les humains possèdent cette extraordinaire capacité de compenser les incohérences entre leur vie intérieure et leur vie extérieure. Le corps sait lorsque l'âme dit quelque chose qui diffère de ce que raconte le mental, et demande le rétablissement de l'harmonie.

Mais je crois aussi que lorsque nous avons été équilibrées pour une longue période, Dieu ou l'univers nous projette dans le chaos pour un temps, de manière à nous faire voir une autre direction. Nos âmes ont besoin du risque.

Lorsque nous devenons trop confortables et cessons de nous poser des défis, un ange arrive et

vient tout bouleverser. Non pas pour que nous ressentions le besoin de Dieu (je ne crois pas que Dieu soit à ce point en manque d'affection), mais pour nous amener à voir le monde avec un regard neuf.

16 MARS

LA CAMARADERIE

Une amie ne peut jouer le rôle de thérapeute. Nous devenons dépendantes face à un thérapeute, question de mettre de côté l'adulte et commencer à nouveau.

On ne peut demander à l'amitié de porter un tel fardeau.Cependant une amie peut avoir autant de valeur qu'un thérapeute.

Une camarade, quelqu'un qui marche à nos côtés de sorte que nous ne sommes pas seules. Pas quelqu'un de puissant, ni quelqu'un d'expert, juste une personne qui se trouve là quand viennent les larmes. Une bonne amie n'a pas peur de nous accompagner à travers les ténèbres.

17 MARS

LES GUÉRISSEURS

On me dit que certaines personnes ont le pouvoir naturel de guérir les autres seulement par le toucher ou la prière.

Et que d'autres, peut-être nous tous, peuvent développer ce pouvoir de guérison. L'élément important, c'est «l'intention d'amour». Voilà qui

explique pourquoi je me penche jour après jour au-dessus de mes semis, et pourquoi même ceux qui doivent passer une bonne partie de leur jeune vie dans une fenêtre qui donne sur le nord, au mois de mars, ont tout de même une croissance robuste. Nous ne devrions pas ne pas tenir compte du pouvoir de notre amour.

18 MARS

L'ONCTION

Je ne suis pas convaincue que l'huile de bébé en soi fait tant de bien au bébé. Mais l'application affectueuse de l'huile fait des merveilles pour l'amour existant entre le parent et l'enfant.

Ce même pouvoir existe à l'autre bout de la vie dans l'onction d'une personne qui va mourir. Même tenir la main tranquillement, pour un moment, peut représenter un cadeau d'énergie et un grand bienfait. Le pouvoir du contact physique humain est incommensurable

19 MARS

LA MANIPULATION

Nous connaissons toutes des moments où nous sommes acculées au pied du mur, où nos propres paroles ou nos actes seront déformés et retournés contre nous.

Plus nous avons conservé notre innocence, moins nous sommes habituées à l'usage de la manipulation, plus nous sommes vraisemblablement

susceptibles d'être piégées. Nous devons continuer à dire la vérité. Nous ne devons pas nous en vouloir à nous-mêmes, mais plutôt nous éloigner des personnes qui nous manipulent.

Refuser la communication n'est pas un manque de compassion. Aimer vos ennemies ne veut pas dire que vous devez répondre à leurs appels à téléphoniques.

20 MARS

LES HOMMES

Les femmes ne devraient pas faire fi de ce qu'elles peuvent apprendre des attitudes masculines envers le monde.

Nous avons été considérées pendant près de deux mille ans comme étant le deuxième sexe, ce qui fait que plusieurs dimensions utiles n'ont pas eu l'opportunité de se développer.

Pendant qu'on nous apprenait socialement à garder le silence, les hommes étaient encouragés à exprimer leurs opinions. Encore aujourd'hui, la passion exprimée par une oratrice peut être accusée d'agressivité.

Pendant qu'on nous enseignait à être attentives aux détails (combien viennent souper, qu'est-ce qu'on va leur servir ?), on apprenait aux hommes à développer une vue d'ensemble.

Il va falloir beaucoup de temps pour changer le monde. Ça ne fait aucun mal que d'essayer la vision des hommes à l'occasion, et voir ce qu'ils voient.

21 MARS

LE TEMPS

Le temps des femmes est précieux. Le travail des femmes est important. Nous incarnons plusieurs personnages : nous avons une carrière, éduquons des enfants, préparons les repas, travaillons au jardin, écoutons de la musique et lisons les journaux..

Certaines réalisent même tout ce qui précède. Une des choses que les femmes peuvent apprendre des hommes, c'est leur approche de l'utilisation du téléphone.

Peu d'hommes vont se permettre de voir leurs journées grugées par des appels téléphoniques. «Frontière» n'est pas un mauvais mot. C'est quelque chose que vous installez autour de vous pour vous permettre d'avoir une vie. C'est correct parfois de fermer la sonnerie du téléphone.

22 MARS

LA DÉPENDANCE

La biologie fait une différence. Par exemple, c'est habituellement les femmes qui prendront congé de leur carrière pour avoir un enfant. Et puis il faut penser à la manière dont il sera élevé. C'est compliqué.

L'écouter alors qu'il ne possède aucun vocabulaire. Porter une attention à nos rêves pour savoir si nous sommes trop rigides ou trop molles.

C'est comme apprendre à manœuvrerun canot, savoir quand aller dans le sens du vent ou quand se diriger vers la rive; savoir comment «contrôler» ne correspond pas ici au mot approprié.

Prendre le temps de faire ces apprentissages revient à dire d'être financièrement dépendantes de notre conjoint pendant un temps, ou si en situation monoparentale, de la communauté qui nous entoure.

Cette période de dépendance financière n'est pas facile. Mais nous pouvons apprendre alors l'humilité et le sens d'identité qui émerge de qui nous sommes et non de ce que nous pouvons acheter.

Et aussi, la compassion envers celles qui n'ont d'autre choix que la dépendance pendant toute leur vie.

23 MARS

L'INTERDÉPENDANCE

Quelle dette avons-nous envers nos conjoints, nos enfants, nos parents ? Que devons-nous à nos vocations, à notre solitude, à nos propres personnes ?

Des mots comme indépendance et dépendance, autonomie et intimité bondissent des pages de livres pour entrer en nos vies. «Interdépendance» est un mot utile à ajouter à la liste.

Chez nous, je suis la jardinière et mon mari, l'assistant-jardinière - mélangeant le composte, transportant l'engrais et les feuilles mortes, entretenant la pelouse qui, à chaque année, occupe une plus petite partie de la cour. Je décide des arrange-

ments floraux. Il s'en plaint et il creuse le lit des fleurs.

Il s'agit d'une entente sympathique, équilibrée par sa capacité d'être le créateur en chef de notre vie sociale et sa formidable maîtrise dans les situations de crise, alors que je préfère aller me cacher sous le lit.

Nous compensons pour les forces et les faiblesses de l'un et l'autre. L'interdépendance dans le mariage, c'est lorsque chacun des deux est en charge de sa propre vie - et en même temps, la vie de chacun est intimement reliée à celle de l'autre.

24 MARS

LES ANIMAUX

Lorsque mon père est décédé une nuit de novembre, il y a plusieurs années, nous faisions déjà route vers le nord, une distance à couvrir qui requiert deux heures. À la maison.

Nous ne le savions pas. Mais alors que nous nous déplacions sur l'autoroute obscure sous une lune froide, nous avons aperçu des petites nuées qui nous semblaient être de la fumée devant nous.

Puis nous avons vu une biche, courant sur le bord de la chaussée à côté de la voiture, son souffle dans l'air glacial restant visible derrière elle pendant un moment.

Le chevreuil nous accompagna pendant ce qui nous a paru un long moment.

Nous sommes arrivés à la maison trop tard pour faire nos adieux. Mais le chevreuil était apparu à nos côtés au même moment où mon père mourait. Je crois que cette biche à queue

blanche est mon totem. Elle était déjà apparue dans mes rêves auparavant et elle le fait encore. Elle est sage et douce.

La plupart du temps, elle m'offre un nouveau sentier, à peine défriché, et sa compagnie - comme elle l'a fait lors de cette nuit froide de novembre. Il existe un animal guide pour chacun de nous.

25 MARS

LA SENSIBILITÉ

Pour vivre une vie épanouie, il est important d'avoir la peau mince, de sentir ce que les autres ressentent, et de s'en préoccuper.

Pour passer au travers de la vie avec intégrité, il est important d'avoir une peau résistante, d'être assez brave pour pouvoir dire la vérité, peu importe la colère et la douleur qui s'en suivront. Il s'agit d'un équilibre difficile à atteindre.

Il est parfois utile de se demander «Est-ce une chose pour laquelle je mettrais ma tête sur le billot ?»

Nous ne pouvons faire face aux dures réalités que sur un certain nombre de fronts à la fois.

26 MARS

LES JARDINS

C'est le mois où je fouille au fond d'une armoire pour mettre la main sur une boîte dans laquelle se trouvent des géraniums séchés.

Je les sors de la boîte, les coupe presque jusqu'aux racines; je les plante dans des pots de terreau, les arrose et les place devant la fenêtre. Dans l'espace d'environ une semaine, des nouvelles feuilles surgissent de la tige morte et brunâtre.

À la fin du mois de mai, les plants ont beaucoup poussé, sont verts et remplis de fleurs. C'est contre l'entendement que d'être ainsi revitalisé par le soleil et l'eau après des mois de négligence. Cela me comble d'espoir. La terre préfère la vie à la mort.

27 MARS

LA DANSE

Ma mère s'est inscrite à des cours d'exercices aérobies. Elle a quatre-vingt-trois ans et une bien mauvaise vue. Je fais confiance, bien que je n'en aie pas la certitude, que ces exercices soient adaptés aux personnes de son âge.

Elle est venue souper avec nous il y a quelques dimanches, comme à son habitude.

Après le repas, elle s'est levée et nous a fait une démonstration de danse en ligne. Je n'avais encore jamais vu ma mère danser.

J'en conclus que son âme tient à continuer à croître. Il est certain que la danse est une activité qui appartient à une partie de nous profonde, ancienne et belle, et certain que cette partie est l'âme.

Son âme ne conçoit ni l'âge ni la mort L'immortalité n'est peut-être pas donnée au corps, mais elle est clairement donnée à l'esprit.

28 MARS

L'ENGENDREMENT

Lorsque notre fils était très jeune, il est tombé en amour avec notre voisine, Stéphanie. Elle était alors âgée de près de quatre-vingts ans. Il n'avait pas encore atteint l'adolescence. Grâce à elle, il a développé une passion pour les langues.

Il a décidé d'apprendre le polonais - Stéphanie avait grandi à Cracovie - et ainsi, elle lui en enseigna suffisamment pour qu'il puisse entreprendre une conversation avec n'importe quel Polonais, étonné, qu'il rencontrait. Ils parlaient ensemble pendant des heures, au sujet de sa vie alors qu'elle était jeune fille, au sujet de l'histoire, des langues, de la musique, de la philosophie et de la religion.

Nous le taquinions avec son apprentissage du polonais en lui disant qu'il pourrait devenir le prochain pape.

Il était attiré par le judaïsme tellement il aimait profondément cette femme que tous nos enfants avaient d'ailleurs fini par appeler leur grand-mère juive. Maintenant, à cause d'elle, la musique classique envahit son appartement, et il

fait sa vie d'adulte en plusieurs langues. Peut-être le germe de sa maîtrise en philosophie politique a-t-il aussi vu le jour lors de ces conversations animées.

Elle est morte il y a quelques mois. Sa vie se poursuit en nous tous qui avons connu sa joie vivante en notre présence. J'aimerais être comme elle - génératrice.

C'est ce que signifie l'engendrement : la transmission aux générations plus jeunes de la sagesse que nous avons durement acquise, et qui enrichit leurs vies.

29 MARS

LA GUÉRISON ET LA CURE

Mon frère est aveugle. Il est atteint de *retinitis pigmentosa,* une maladie pour laquelle il n'existe pas de cure.Mon frère est néanmoins guéri.

Il mène une vie pleine de spiritualité, de sens, d'amis appréciés et de travail. Il a de la valeur. Il est un grand-père, un artiste, un bénévole dans sa communauté, si généreux de son temps et de son talent qu'il fut désigné le bénévole de l'année et fut présenté à la chambre des députés de l'Ontario alors que tous se tenaient debout et applaudissaient.

Nous pouvons parfois être guéries de ce qui nous rend malades, parfois non. Mais lorsque nous vivons en compagnie de Dieu, nous pouvons être guéries.

30 MARS

LA RÉSURRECTION

À mon église au début du carême, nous mettons respectueusement de côté tous les «Alléluias» lors d'une cérémonie.

Pendant la célébration, les enfants rassemblent tous les petits morceaux de papier sur lesquels est inscrit ce seul mot, surveillent attentivement alors qu'on les place dans une boîte et qu'on scelle cette boîte avec soin. Pendant les quarante jours qui suivent, nous ne chantons aucun hymne de célébration. Aucun alléluia. Ils ont tous été rangés.

Puis arrive le matin de Pâques. Les rubans gommés sont retirés du couvercle de la boîte. «Le Christ notre Seigneur est ressuscité aujourd'hui», chantons-nous,

«Alléluia». La mort ne constitue pas la fin de la vie, ni pour Jésus, ni pour nous. Même pas lorsque nous avons l'impression d'être morte au mitemps de la vie, même pas lorsque nous avons perdu notre emploi, notre amant ou notre foi. Notre Créateur demeure avec nous à travers toutes les sortes de morts. Alléluia!

31 MARS

LES MÉDIATRICES

L'analyste jungien Toni Wolff a dit que certaines femmes sont particulièrement douées quand il s'agit d'unir d'autres personnes à leur propre âme.

Ces mêmes femmes sont aussi en harmonie avec l'esprit de la terre et peuvent en amener d'autres à comprendre en quoi ça consiste. Si c'est vrai, si nous sommes capables d'entrer en relation avec la nature à niveau profond, alors nous avons aussi une responsabilité quant à l'expression de sa douleur. Et si la terre n'avait d'autre voix que la nôtre ?

AVRIL

1er AVRIL

DES VOLEURS ET DES MONSTRES

Il m'arrive d'être poursuivie par des voleurs. Je m'enfuis en empruntant des corridors, essayant de me sauver en traversant des portes, passant par des fenêtres et des endroits exigus.

Tout ça se passe dans mes rêves, mais l'injection d'adrénaline m'extrait complètement de mon sommeil.

D'autres rapportent des rêves d'animaux sauvages et féroces, de dragons. Le grand avantage de rêver à des voleurs c'est que, contrairement à la vie éveillée, vous pouvez leur parler. Après tout, ils font partie de vos rêves.

Avec du papier et un crayon en main, nous pouvons nous imaginer à nouveau dans le rêve. Mais au lieu de courir, nous pouvons faire volte-face et interroger ce qui nous fait peur.

«Comment t'appelles-tu ?» constitue une bonne entrée en matière. Au cours du dialogue

(inscrit sur papier tel qu'il se déroule), nous pouvons découvrir ce qui pille notre temps et notre énergie, ce qui nous accable, les souvenirs qui ont une emprise sur nous.

C'est alors qu'il commence à relâcher leur emprise sur nous. Dans les rêves comme dans le reste de la vie, une bonne communication aide. Il arrive que des dragons se transforment en chatons lorsque nous les accueillons.

2 AVRIL

DES DRAGONS

Pourquoi si enflammés
J'ai réussi à comprendre
Maintenant calmez-vous
Ne m'essoufflez pas

Je suis venue demander
Si vous pouviez changer
Et ce que vous deviendriez
Compte tenu des possibilités

Les choix, comptez-les Un, deux, trois
Prenez le temps d'y penser maintenant
Ne vous acharnez pas sur moi

Il fait sombre dehors
Avec ce ciel qui s'affaisse
Suffisamment obscur même
Pour que vous y risquiez un œil

Je sais - vos yeux sont sensibles
À cause des flammes
Venez ici, laissez-moi les toucher
Vous voyez, aucune douleur

Alors que se résorbent les plumes
Que tombent les écailles
Vous serez tel un chaton
Né aujourd'hui même
Venez, partons maintenant
Allons dans la lumière
Mes tendres petits
Petits dragons

3 AVRIL

LA TRANSFORMATION

Les femmes se transforment si souvent. Il y a ce changement que nous vivons lors du passage de l'enfant à la femme, souligné de diverses façons dans notre culture.

Chez nous, nous avions imaginé une célébration appropriée pour les premières menstruations de notre fille; elle nous a regardés comme si nous étions en train d'halluciner. Nous avons rapidement laissé tomber.

Puis il y a ce changement de la femme à la mère, aussi crucial au niveau biologique qu'au niveau spirituel. Nous retrouvons éventuellement notre tour de taille, mais notre esprit a changé à jamais.

Nous avons désormais compris pourquoi les textes sacrés présentent Dieu comme un parent. Le théologien Marcus Borg nous informe que le

mot «compassion» en hébreu et en araméen - utilisé souvent en relation avec Dieu - est la forme plurielle du mot «matrice». Le mystique médiéval Meister Eckhart affirme que Dieu est constamment en train de donner naissance au monde.

Une chose qui mérite réflexion - les femmes étant proches de l'esprit de Dieu. Cela pourrait nous aider au cours des nuits sans sommeil que nous vivons premièrement à la suite de la naissance de nos enfants.

Et plus tard, à nouveau insomniaques, nous faisons les cent pas et regardons à la fenêtre, en nous inquiétant au sujet de l'adolescent qui n'est pas encore rentré - c'est là un comportement solidaire avec Dieu. Dieu aussi s'inquiète du fait que nous ne soyons pas en notre demeure, et il cherche à nous atteindre et à nous transformer encore une fois.

4 AVRIL

LES AMIES

Parfois, nous constatons qu'une crevasse s'est ouverte dans une amitié. Nous pensions que nous étions toutes deux du même avis en ce qui a trait à un problème et puis nous découvrons que nous ne le sommes pas; alors le problème prend de plus en plus d'ampleur et finit par avaler cette amitié.

Ce sont des choses qui arrivent. Les amies peuvent parfois être d'accord avec un désaccord. Puisqu'elles ne se sentent pas menacées, elles peuvent trouver plaisir au fait de débattre encore et encore leurs différences.

Mais il arrive aussi que nous ne faisons que nous précipiter dans un abîme. Les femmes ressentent profondément cela.

Il est sage de se permettre de ressentir la douleur que nous avons. Il est aussi sage de ne pas nous adresser des reproches («Ah, si au moins je n'avais pas...», ou encore, «Ah, si seulement elle n'avait pas...»).

Les relations ont parfois des ratés. Elles sont difficiles et nous sommes humaines.

5 AVRIL

ÊTRE MÈRE

La maternité serait plus facile si nous savions que la vision que nous défendons, que l'espoir que nous entretenons pour nos familles, sont ceux de *Shalom* - le royaume paisible de Dieu, la douce matrice de la création et non ceux de la cour de justice.

Ceux de Dieu, l'ami bienveillant et non de celui qui punit. Dieu nous aime, que nous soyons ou non minces, prospères, intelligentes, riches ou productives.

Voici une pensée pour un jour de printemps: Quelle idée me fais-je de la famille de Dieu ?

L'EXODE

C'est facile pour les femmes de rejeter la Bible en déclarant qu'il s'agit d'un livre patriarcal (et il l'est à l'occasion), dépassé et inutile en ce qui nous concerne (ce qu'il n'est pas).

Les femmes ont parcouru un très long chemin, et nous avons besoin de voir que notre histoire est présentée quelque part, un ouvrage dont le temps a fait la preuve.

Ainsi, l'histoire des gens quittant l'Égypte en abandonnant tous leurs biens et en fuyant sans même attendre que lève le pain, raconte l'histoire collective des femmes d'aujourd'hui.

Nous avons abandonné nos manières usuelles de penser qui nous maintenaient dans un état semblable à l'esclavage à cause de nos tâches domestiques, de même que les attentes entretenues à notre égard à titre de mères, de filles et d'épouses.

Nous ne sommes plus des ménagères. Même celles qui parmi nous travaillent chez elles refusent d'être «mariées» à une maison. Par contre, nous vivons dorénavant dans le désert d'une occupation à outrance de notre temps.

La terre promise n'est que rarement visible, si ce n'est parfois dans le regard de nos filles. Il en était pour les Israélites comme il en est pour nous.

Longtemps après l'exode, alors qu'ils étaient très fatigués, ils trouvèrent la Terre promise. L'errance dans le désert fait partie de la libération.

LA GRÂCE

Au cas où vous vous seriez déjà demandé ce que les théologiens veulent dire quand ils parlent de la grâce. Un jour, en train de se baigner, alors que notre premier enfant avait environ quatre ans : David s'éloigna, pas très loin, seulement jusqu'à la taille et nous avions détourné le regard pour une fraction de seconde.

Il avait disparu. Son père se mit à courir vers l'endroit où il avait été et le trouva sous l'eau, regardant vers le ciel. Il avait glissé dans un trou. Jim le sortit de l'eau et le transporta, toussant et crachant, jusqu'à l'endroit de notre petit paquet de serviettes, de l'attroupement d'enfants et des embrassades marquées par l'énervement.

Dès qu'il put parler, il se tourna vers son père. «Tu es venu aussi vite que tu as pu, papa», dit-il. Le plus beau cadeau, c'est de recevoir ce que nous avons déjà.

L'IDENTITÉ

Il existe une petite danse que nous exécutons avec les gens que nous aimons. Les théoriciens du mariage la décrivent très bien.

Nous nous attirons l'un vers l'autre parce que l'intimité, le désir de faire fondre les barrières qui nous séparent, est un désir humain. Nous observons parfois cela chez les gens qui se marient très jeunes, avant que chacun ait développé un sens clair et bien défini de qui il est en tant qu'individu. Toutefois nous possédons le désir humain analogue d'une identité propre.

Cela nous retient. Dès que nous ressentons le danger de disparaître, nous devenons distantes. La danse de l'intimité, ainsi que la surnomme l'expert matrimonial David Mace.

Les amitiés et les unions les plus fortes rassemblent des personnes dont les identités personnelles, stables et solides, leur permettent à chacune de se rapprocher de l'autre sans avoir peur.

Ce n'est pas étonnant que plusieurs d'entre nous craignons une relation d'intimité avec Dieu. On pourrait se perdre soi-même à jamais à l'intérieur d'une identité d'une telle puissance. Ainsi Dieu, dans sa grande compassion et solitude, aspire à ce que nous nous connaissions nous-mêmes, à ce que nous devenions fortes, afin que nous nous en rapprochions.

9 AVRIL

LA GUÉRISON

En ce temps de l'année, les plantes envahissent la maison. Il y a des semis devant chacune des fenêtres. Je fais la rotation des fenêtres de sorte qu'ils puissent partager entre eux la meilleure lumière. Notre chambre, qui fait face au sud, prend l'allure d'une serre.

«Tout cela à partir de si petits sachets innocents», s'exclame avec émerveillement un jardinier voisin, en offrant aux environs les quelques

centaines de plants qu'il ne peut garder chez lui. Bientôt ils passeront de l'intérieur à l'extérieur, rentrant puis sortant, chaque jour, acquérant de la vigueur, s'endurcissant comme disent les jardiniers, jusqu'à ce qu'ils se retrouvent finalement plantés dans la terre qui se réchauffe.

Cette relation tyrannique et symbiotique - les plantes ont des besoins et je les comble - constitue un puissant remède.

Peut-être est-ce parce que les personnes qui travaillent avec des objets qu'ils ne peuvent toucher - des chiffres, des mots, ce qu'il y a dans la tête des gens - se voient guéries du fait de toucher à la terre et aux feuilles.

10 AVRIL

LES ANGES

À Kanesatake, au Québec, cet endroit dont nous nous souvenons dans notre histoire collective en tant que Oka, un petit groupe mohawk a bloqué une route pour empêcher qu'un terrain de golf n'empiète sur leur pinède bien-aimée, une terre commune où se situaient leur cimetière et leur lieu d'assemblée.

Le matin du 11 juillet 1990, quelques femmes et le chef spirituel John Cree récitaient les prières du matin.

Une centaine d'agents provinciaux firent irruption pour les chasser et rouvrir la route.

Une poignée de guerriers mohawks s'interposèrent, les policiers firent exploser des bombonnes de gaz lacrymogènes. Des coups de feu furent tirés. Un policier fut tué. La provenance de

la balle ne fut jamais déterminée.Ellen Gabriel, une mère de clan mohawk, décrit comment le vent avait soudainement tourné ce matin-là et avait soufflé tous les gaz directement aux visages des policiers.

Il y aurait eu beaucoup plus de décès, affirme-t-elle, si le «souffle de nos ancêtres» n'était pas venu sous la forme d'une brise forte et bienfaisante. Les anges se placent toujours du côté de la vie.

AVRIL

LE TYPE DE PERSONNALITÉ

Une de mes plus chères amies correspond à ce que les théoriciens appellent le type «R», de type «Rationnel».

Mon propre contenu psychique est fait en grande partie du type «S»; je suis en d'autres termes de type «Sensitif».

Il s'agit d'une amitié intéressante. J'aime parler de la façon dont telle ou telle chose affecte mes sentiments, comment j'ai «senti» que ce serait une bonne chose à faire.

L'émotion transparaît toujours dans ma voix. Mon amie, de son côté, pense au sujet des choses plutôt que de les sentir, et elle le fait très bien. Lorsque je me plains de l'aspect terrible que revêt une partie de ma vie, elle reste silencieuse.

Quand je m'arrête, elle commence à parler «La chose logique à faire...» Je suis perdue. Elle me raconte des choses de sa vie d'une manière qui m'apparaît dénuée de passion. Je deviens irritée du mal qu'on lui fait et je fulmine. «Tu dois

être dans un état épouvantable!» lui dis-je. Elle soupèse ce que je viens de dire avec soin, réfléchissant à sa propre façon de voir.

«Eh bien, oui et non», finit-elle par dire. Nous nous apportons vraiment du soutien à l'une et à l'autre. Les personnes qui diffèrent de nous-mêmes nous aident à prendre les meilleures décisions.

12 AVRIL

LE TRAVAIL

Lorsqu'une femme trime dur à une tâche qui l'accapare - une pièce dans laquelle elle tient un rôle, un voyage qu'elle entreprend avec ses élèves, une exposition de ses peintures - sa propre vie familiale peut en souffrir.

Son époux, habituellement placide, peut se faire grognon. Ce n'est pas là une décision consciente de sa part.

Époux et épouses, et tous les êtres humains, deviennent maussades lorsqu'ils perçoivent à l'extérieur d'eux-mêmes la réflexion d'un trait intérieur.

Un homme très travaillant, dévoué à sa carrière, peut craindre la perte de son travail s'il ne fait pas tous les bons pas. Cette crainte est justifiée en ces temps de restriction.

Mais il ne peut pas vraiment vivre avec l'idée qu'il sacrifie sa vie familiale au profit de son travail. Alors il enfouit profondément cette connaissance partielle de lui-même.

Mais lorsque sa conjointe devient aussi complètement absorbée par sa propre carrière, il a

maintenant l'opportunité très claire de voir et de condamner la dévastation de son propre moi. Cela lui est projeté juste devant les yeux.

Pas étonnant qu'il devienne grincheux! Aucun mariage n'implique seulement deux personnes. Il y en a toujours au moins deux autres qui sont concernées - la partie de lui qui est inconnue, et la vôtre.

Elles se parlent ensemble alors qu'aucun de vous ne surveille et elles fomentent des troubles.

13 AVRIL

LA PATIENCE

En 1990, au milieu de la crise d'Oka, comme on en est venu à la désigner - une barricade d'Amérindiens sur une autoroute, une armée, des hélicoptères, des rumeurs qui se promènent - j'ai réalisé une entrevue avec un chef spirituel amérindien à sa demeure. Il savait comment tout avait commencé; il vivait là et il comprenait le cœur de ces gens.

Équipée de mon carnet de notes, je voulais connaître les faits. Je ne disposais pas de beaucoup de temps, pensais-je.. À la place, il m'offrit des pommes, une gentillesse rafraîchissante du fait que nous nous trouvions du mauvais côté de la barricade. Puis il entreprit une longue discussion sur la gratitude, sur la façon dont les gens de son peuple avait commencé cette journée fatidique en jetant du tabac sur le feu sacré, comment ils avaient remercié le Créateur pour toute sa création.Je voulais en apprendre au sujet des armes, des gaz lacrymogènes.

Il défila plutôt, lentement, une liste des créatures que le Créateur avait faites et me parla d'elles. J'ai appris la patience.

Puis à la fin, après qu'il eut pu voir que ma hâte de femme blanche avait diminuée suffisamment pour pouvoir l'entendre, il me dit tout ce que je voulais savoir. Puis nous avons bu un café et avons continué à parler.

J'ai mis de côté mon carnet. Toute culture dominante démontre une surdité sélective face à la sagesse des autres. Nous qui sommes arrivés tardivement dans ce pays, et qui sommes devenus si nombreux, avons beaucoup à apprendre des gens d'origine. Le respect. La patience.

14 AVRIL

À L'OMBRE

Notre ombre est cette partie de nous-mêmes que nous gardons enfouie parce qu'elle est inacceptable aux yeux de la culture qui nous entoure.

Ce qui veut dire qu'elle comporte un aspect collectif. La plupart d'entre nous, du même groupe d'âge, aurons enseveli des caractéristiques semblables. Les différentes générations de femmes font face à des attentes qui changent au cours de leur croissance.

Notre ombre est engendrée par les critiques de nos parents, de nos tantes et de nos oncles, de nos professeurs et de nos pairs alors que nous sommes jeunes et malléables.

Garder cachées ces qualités, de manière è à ce qu'elles ne soient pas mises à contribution, requiert de l'énergie. Ainsi, lorsqu'une femme à

qui on a enseigné à être une super-mère cesse de préparer des repas parfaits, délaisse la maison et se met à peindre des aquarelles, elle découvrira qu'elle possède une plus grande énergie.

Une génératrice d'énergie sommeille en nous. Nous n'avons qu'à connaître notre ombre.

15 AVRIL

LES VÉRITÉS ÉTERNELLES

J'aime ce vieil hymne que l'on attribue à saint Patrick : Je relie à moi-même aujourd'hui. Les vertus du ciel étoiléLes rayons vivifiants du soleil glorieux. La blancheur de la lune... Ils en savaient des choses ces ancêtres celtes.

Parfois le dimanche à l'église où je vais prier, je regarde l'assemblée du haut de mon perchoir dans le jubé.

Je suis émerveillée de voir que tous ces gens sont présents, qu'ils défient cet âge de la vitesse et du désenchantement pour venir ici, dans un espace qui existe uniquement parce que des gens croient qu'il y a un Dieu.

Plus encore, un Dieu qui est lié «à la stabilité de la terre, à la profondeur de la mer salée, autour des vieux rochers éternels», comme le dit l'hymne. Rien ne peut être plus éternel que ces visages, ce désir, ce sens du sacré, transmis et redécouvert de génération en génération.

Quand notre monde est ébranlé, nous pouvons toujours retourner à saint Patrick.

16 AVRIL

DEMANDER UN CONSEIL

Ma métaphore préférée au sujet de la vie est celle, qui n'a rien de neuf, du voyage;et l'avenir ne comporte rien qui soit semblable à une carte.

Mais j'en suis venue à faire confiance à certaines choses. Comme la plupart des femmes, ça ne m'embête jamais de demander des indications. Tous les passages que j'ai à faire dans ma vie, qu'il soit celui de donner naissance ou celui de saluer le départ du dernier enfant, qu'il s'agisse des changements rapides que subit mon corps, ont déjà été vécus auparavant.

Lorsque j'essaie de trouver ce qu'est la bonne chose à faire, j'interroge d'autres femmes.

17 AVRIL

LE DISCERNEMENT

Mon discernement naît des prières que je formule au sujet des rêves que j'écris. L'intuition, ce bond amusant que réalise votre esprit quand vous ne lui faites pas attention, se retrace dans la vie des rêves. Les rêves et les prières sont tous deux mystérieux, irrationnels et illogiques.

Ils peuvent uniquement servir de complément à la démarche plus rationnelle qui consiste à chercher conseil auprès des spécialistes.

Enfin, je fais preuve de discernement en pénétrant le plus possible les connaissances acquises par mon peuple. Si j'étais juive, je consulterais la Torah. Si j'appartenais à l'une des Premières Nations, je me tournerais vers la Roue de la médecine.

Pour moi, le voyage se trouve dans l'écriture parce que la description du territoire de l'existence humaine y apparaît dans un langage que je peux lire. La voie de la vérité se situe dans notre propre âme, dans le passé, dans l'esprit des sages et dans l'esprit de Dieu.

18 AVRIL

LA COLÈRE

Tellement d'occasions pour la colère, et tellement de désapprobation du fait que les femmes l'expriment. Nous pouvons ressentir de la colère provenant de l'enfance.

Provenant du modèle perfectionniste de nos parents que nous retrouvons dans nos propres vies.

Venant des exigences trop sévères à satisfaire. Venant de la négligence - Et de quelle façon un parent arrive-t-il à équilibrer les demandes du travail et de la famille pour éviter toute forme de négligence ? Où laisserons-nous cette colère s'exprimer ? Dans les relations déjà tendues à cause des charges doubles ?

Au travail ? Vraisemblablement pas. Il vaut mieux rencontrer un conseiller bienveillant ou s'inscrire à un bon atelier. Il vaut mieux découvrir les signes présentés dans les rêves.

Il vaut mieux canaliser l'adrénaline d'anciennes colères dans des exercices. Et pratiquons le refus. Nous avons besoin de nous opposer à

ceux qui ont suscité notre colère, même si leurs voix ne sont plus que de vieux enregistrements tournant encore dans notre tête.

Et pratiquons le pardon, le lent, ardu et affectueux travail du pardon à soi-même pour n'être pas parfaite.

19 AVRIL

LA LIBERTÉ

Est-ce le destin, la fatalité ou Dieu qui dirige nos vies, ou sommes-nous libres de nous noyer ou de nager du fait de notre propre volonté ?

Une question difficile, et importante. Si notre vie est toute prévue d'avance, pourquoi s'efforcer de changer, ou même de faire des choix ? L'idée de la noyade et de la nage représente peut-être une bonne métaphore.

L'eau apparaît certainement dans les rêves de tout le monde. Il s'agit parfois d'un lac tranquille, parfois d'un canal, parfois d'un océan et d'autres fois, de pluies faisant peser la menace d'inondations.

Parfois encore, une rivière, un fleuve. Peut-être l'équilibre entre la liberté et le destin est-il mieux compris par la manière dont nous manœuvrons un bateau, utilisant le courant lorsque nous le pouvons, ne pensant pas contrôler complètement la situation, mais ne négligeant pas non plus le compas et les étoiles.

La vie nous présente des passages tourmentés. Elle nous fournit aussi des outils.

20 AVRIL

ÉCRIRE DES POÈMES

Je m'assois occasionnellement avec des amies, en cercle, et nous faisons la lecture de poèmes les unes pour les autres. Nous écoutons.

Aucune autre parole n'est prononcée que le texte des poèmes. Une chose étrange se produit alors. Les mots comblent l'espace qui nous sépare.

Ils exécutent des vrilles d'émotions dans toute la pièce, les accrochant à de minces fibres de logique, et nous tissant toutes ensemble en une étoffe si forte que nous pouvons sentir la respiration les unes des autres. Nous devenons belles l'une pour l'autre.

C'est là une discipline spirituelle. Les poèmes sont semblables à Dieu. Vous ne pouvez commander leur présence, vous pouvez seulement vous allonger sur le chemin qu'ils pourraient emprunter et espérer qu'ils trébuchent sur vous.

21 AVRIL

SHALOM

Vous pouvez en avoir une idée en vous assoyant autour d'une table en faisant la conversation, en prêtant l'oreille et en riant.

En faisant de la bicyclette avec des amis, en ramant dans un canot, en marchant en raquettes, en allant au cinéma ensemble. Voilà le Royaume de Dieu dont parle Jésus, seulement cela. Les

photographes amateurs le saisissent sur pellicule, sans le savoir, sur les visages souriants tournés vers un ami bien-aimé alors qu'il souffle sur les chandelles.

Nous sommes le *Shalom*, le règne promis de Dieu. C'est ici. Nous pouvons aussi le voir en d'autres moments : cette femme qui, dans les bureaux de l'hôtel de ville, se bat pour la santé de sa communauté, ça aussi fait assurément partie du Royaume; ce professeur qui remarque un enfant qui a faim et qui met sur pied un projet de déjeuners; ce bébé qui s'avance dans la vie dans la salle d'accouchement. Voyez, nous sommes le *Shalom*. C'est ici.

22 AVRIL

LA CULPABILITÉ

Je demeure sur ce qui fut jadis le territoire Ojibway. Le lac que j'aperçois de ma fenêtre se trouvait sur la route des Voyageurs. Être chrétienne, blanche, de la classe moyenne et nord-américaine, c'est hériter une histoire de culpabilité. Les Européens ont colonisé en enlevant les enfants aux parents des Premières

Nations, leur retirant leur langue, leurs légendes et leurs chants. Certaines danses sont perdues à tout jamais.J'essaie de trouver une porte de sortie dans tout cela, mais il n'en existe pas.

Le théologien Gregory Baum dit que la réponse appropriée devant l'immensité de la souffrance, c'est le deuil. La culpabilité nous paralyse; le deuil nous permet de continuer. Je crois que c'est vrai, qu'il s'agisse d'une souffrance infligée

par des individusou par la volonté aveugle d'une collectivité d'ancêtres, celle-là même qui nous a donné la gratuité de l'éducation publique et le droit de vote.

Alors j'en suis affligée. Je pleure pour ces petits êtres. Et j'essaie de ne pas répéter la même erreur. La meilleure chose que nous pouvons retirer d'un passé douloureux est une dose de sagesse.

23 AVRIL

LA SOLITUDE

Le printemps venu, il m'arrive parfois de me tenir debout sous le pommier, et les pétales tombent comme de la neige.

Chaque année, à l'automne lors d'une journée de grand vent, les feuilles rouges de l'érable s'envolent pendant tout le jour jusqu'à ce que l'arbre en soit dénudé - un tronc noir porteur de plusieurs branches s'élève alors dans le ciel. Je suis convaincue, du fait de ces flatteries, que Dieu se sent seule*.

Elle a besoin que nous la voyons dans le silence des fleurs qui tombent et dans le bruissement des feuilles séchées par le soleil.*

* *N.d.T.* : Donna Sinclair préfère parfois utiliser la forme féminine lorsqu'elle parle de Dieu. Elle conçoit que le Créateur contient à la fois les principes masculin et féminin.

L'ESTIME DE SOI

Le sens que les femmes ont de leur propre valeur est attaqué par le monde. Réfléchissez à la perfection de la logique interne de l'anorexie : la corpulence n'est pas une bonne chose; la perte de poids est une vertu.

Alors, plus on perd du poids, mieux c'est. Vous mourez d'une mort héroïque. Les femmes ont davantage de valeur. Il n'est pas seulement question de la forme de nos corps.

Si nous dressons la liste de tous les mots dénigrant les hommes auxquels nous pouvons penser, et que nous faisons la même chose pour les femmes, laquelle des deux listes est la plus longue ?

La voie menant à l'estime de soi dans un tel contexte est la même que celle que nous offrons à nos enfants.

Nous avons besoin de valoriser notre propre imagination, de la même manière que nous plaçons les dessins des enfants sur la porte du frigo.

Nous pouvons écouter nos poèmes respectifs, agrémenter nos demeures de plusieurs de nos œuvres de poterie, de tissage et d'art.

Cela ne veut pas dire que nous devons bannir le bon travail des hommes, mais seulement faire de la place à l'imagination des femmes.

LA GUÉRISON

Il y a des choses qui sont séparées et qui ne devraient pas l'être. La médecine, par exemple, fut coupée de la spiritualité, comme si la santé de notre corps pouvait s'améliorer sans la participation de notre âme.

C'est seulement maintenant qu'on les relie ensemble.Nous pourrions examiner quelques institutions locales - l'éducation, la médecine, l'église, la politique - et regarder ce qui est advenu de leur vie spirituelle.

Nos systèmes d'éducation devraient honorer les âmes de nos enfants, et non pas seulement les modeler pour une vie de servitude au profit des affaires.

L'art et le théâtre sont aussi importants que les ordinateurs. Et la politique locale devrait se préoccuper de la qualité de vie dans la municipalité, de la conservation de son passé et du bien-être de ses enfants, et non seulement de la dernière ligne de son budget annuel.

La créativité des femmes s'exprime dans notre effort de guérison de la communauté qui nous entoure.

26 AVRIL

LA LIBERTÉ

En quelque sorte, en cours de route, je suis devenue collectionneuse. De livres. D'armoires pour contenir plus de livres. De gros pots pour y mettre des plantes.

Des livres. Des plantes.Certaines philosophies enseignent l'absence de désir, mais je n'aspire pas à cela. Je suis pleine de désirs.

Quel espoir peut-il y avoir alors ? Les plantes résolvent une partie de la question, en se multipliant si rapidement elles doivent être distribuées en quantité.

Et les livres, qui me tentent tant par leurs belles couvertures et leur sagesse ? Un jour, peut-être, je l'aurai complètement appris. Mais pas maintenant. La liberté viendra lorsque toute la sagesse sera intériorisée.

27 AVRIL

L'AMBIGUÏTÉ

Les femmes sont habiles dans l'art de vivre avec l'ambiguïté. Nous savons comment maintenir une emprise sur les contraires et vivre avec tous les deux en même temps.

Nous protégeons nos enfants et en même temps, nous les laissons prendre de la distance.

Nous chérissons notre identité personnelle même quand nous la risquons dans la vie du mariage.

Nous sommes empathiques et nous nous entourons de frontières.Il est possible de valoriser à la fois la solitude et l'activisme, la paix et la justice, la prière et le piquetage. Tous sont nécessaires à l'intérieur d'une vie remplie.

28 AVRIL

LES RITUELS

Une maladie a coûté à l'époux d'une amie sa capacité de fonctionner intellectuellement à un niveau adulte.

Il est charmant et gentil, mais il a subi des dommages au cerveau.Au bout d'un certain temps, elle a dressé deux listes. Sur la première, elle écrivit tout ce que son mari avait été; sur la seconde, elle inscrivittout ce qu'il était devenu. Elle apporta des allumettes et la première liste sur la plage.

Elle mit le feu à la liste et répandit les cendres dans l'eau. Par ce rituel, elle souhaitait faire ses adieux à la personne qu'il avait été.

Elle était sage et brave, regroupant tous les morceaux de sa vie et en amorçant la poursuite nécessaire.

Les rituels nous aident à gagner ainsi du courage. Ils mettent des mots sur les choses et les situent à un moment particulier de notre vie de sorte que nous puissions trouver la force de passer au suivant.

LA COLÈRE

Nous avons appris à exprimer nos émotions en observant ce que faisaient les autres, nos mères peut-être.

L'expression que je préfère personnellement, c'est la bouderie. Je l'ai développée par moi-même, merci bien, pour ne pas répéter les modèles que j'avais observés. Mais elle est remarquablement inutile.

Elle paralyse et met fin de manière accablante à toute joie dans la maison.J'ai essayé de me souvenir de quelques éléments : Commencez par «Je suis en colère parce que...»

Gardez à l'esprit que la personne qui a suscité votre colère a ses propres habitudes et projections soigneusement usinées.Ne faites pas de reproche. Dites «Ça m'a blessée quand...» plutôt que «Espèce d'imbécile, c'est ta faute...»

Écoutez. Restez dans le moment présent. Faites face à ce qui est actuel et non à ce qui s'est passé l'année précédente. Si vous ne pouvez pas parler, écrivez une lettre et placez-la sur le frigo. Si toute la famille est impliquée, c'est là qu'ils iront tous tôt ou tard.

Ou encore sur un oreiller. Les livres disent de ne pas se disputer dans la chambre à coucher, mais si vous avez une maison pleine d'enfants et que vous ne souhaitez avoir un auditoire, le seul autre endroit, c'est la salle de bain, la porte barrée. Un cadeau que nous pouvons léguer à nos enfants, c'est la capacité de composer de manière constructive avec la colère.

LA PRIÈRE

À l'église, j'aime la façon dont la liturgie possède une discipline demandant que nous récitions des prières pour les autres. Pour un court moment, nous plaçons les politiciens, même ceux que nous détestons, dans la lumière de Dieu.

Nous les nommons dans le même souffle que nous nommons les personnes pauvres ou malades. C'est le seul lieu où tous ces gens se retrouvent ensemble.

C'est la seule demeure où nous nous assoyons tous à la même table, où nous mangeons tous le même pain, où nous nous plaçons tous dans l'esprit du même Dieu.

Si la chrétienté n'avait que cette seule sagesse, ce serait déjà suffisant. Aimez vos ennemis et priez pour le bien-être de tous.

MAI

1er MAI

LA NAISSANCE

Il est renversant de constater à quel point la plupart d'entre nous rêvons souvent que nous donnons naissance. (Une fois, dans un rêve, j'ai donné naissance à une poule, ce qui était très désagréable.) Même les hommes font ce genre de rêve; même les femmes qui ont depuis longtemps dépassé l'âge

d'avoir des enfants. Une même question reste toujours à poser à ce genre de rêve. «Qu'y a-t-il de nouveau qui naît en moi ?»

Nous ne percevons pas toujours comment nous changeons, nous grandissons, nous nous renouvelons et donnons naissance à nous-mêmes.

Peut-être sommes-nous en train de réapprendre à rire après une période de deuil; peut-être commençons-nous à nous sentir fortes après une période où nous avions perdu confiance en nous.

Ce sont là des occasions de réjouissances. «Voyez ce qui est en train de se passer en vous!» est le constant cri de joie de nos rêves.

Nous ne voudrions pas passer à côté de toute l'excitation du moment. (Et j'ai appris à aimer de nouveau les poules.)

2 MAI

L'ESPOIR

Je pense qu'un enfant qui jouit de la santé spirituelle ressent ce qu'est l'espoir. Ma fille, pelotonnée près de moi dans le lit alors que je lisais les journaux du samedi, éclate soudainement en larmes.

«Un trou dans la couche d'ozone», annonçait un gros titre. «Augmentation du cancer de la peau.» Elle a le teint pâle et a parfois des coups de soleil. Elle crut, à ce moment-là, qu'elle était condamnée.

Le prophète Micah dit quelque chose de très beau à ce sujet. Il affirme que la tâche des êtres

humains est de rechercher la justice, d'aimer la bonté et de marcher humblement avec notre Dieu. C'est le seul espoir que je peux lui donner (et à moi aussi).

Nous avons un Dieu humble qui vient sur la terre, qui vit avec nous et qui partage avec nous les coups de soleil et le cancer de la peau.Et nous prierons et combattrons ensemble pour toutes les protections subtiles et complexes que notre humble Créateur a placées autour du monde qu'Elle a engendré.

3 MAI

DIEU

Une certaine confusion règne autour de la question de savoir si Dieu est un homme, une femme, un ami ou une compagne, et de savoir si Dieu est immuable, invisible et éternel. L'enjeu pour les femmes est ici considérable.

Dieu a été considéré comme un homme pendant tellement longtemps. Le fait que les femmes n'aient pas été créées à Son image nous a placées au-dessous des anges, et des hommes aussi.Mais tout cela est maintenant arrangé. Bien, d'une certaine manière.

Dans certains milieux. À un niveau conscient.Le fait est qu'il est difficile de seremettre rapidement d'une période de plusieurs siècles où Dieu n'avait que de la testostérone.

L'image est incrustée dans nos corps, quelque part autour du tronc cérébral. Cela va nous demander au moins un siècle avant que nous puissions nous en débarrasser, même si de nombreuses personnes consentent à le faire. La théologienne

Dorothee Soelle, puisant dans la tradition mystique, suggère que nous référions à Dieu en parlant de lumière.

Cette image n'en est pas une de domination (comment la lumière pourrait-elle exiger la soumission ?), ni une image attachée à un genre en particulier. «Je suis la lumière du monde» s'entend très bien.

Nous n'avons rien d'autre pour penser que des images. Celles que nous utilisons ont donc de l'importance.

4 MAI

LES ROMANS

Le sergent Jimmy Chee du corps de police des Navahos, de Tony Hillerman, apprend les chants traditionnels, s'efforce de trouver un équilibre entre les coutumes de son peuple et les façons de la justice des Blancs.

Tout son travail se déroule à l'intérieur d'une marge de manœuvre aussi mince que la lame d'un couteau, entre l'ancien et le nouveau.

Je lis Hillerman et je me sens moins seule, plus équilibrée, à cause de Jimmy Chee. Les textes sacrés se trouvent partout.

CE QUE VEULENT LES FEMMES

Le roi Arthur, chassant par inadvertance sur le territoire d'un chevalier rival, abat un chevreuil et doit par conséquent honorer sa dette. En guise de paiement, le chevalier rival lui présente une énigme.

Ils étaient avides d'énigmes en ces temps-là. À l'intérieur d'une année, le roi Arthur doit chercher à découvrir ce que les femmes désirent le plus,à défaut de quoi il sera décapité. Au cours de sa recherche, Arthur et son plus vaillant chevalier,

Sir Gawain, rencontrent une hideuse sorcière. Les redoutables sorcières de cette époque pouvaient subtiliser l'âme d'un homme en l'aspirant hors de son corps en un rien de temps.

Elle leur révèle la réponse à la condition d'épouser Sir Gawain. Sa réponse sauve la vie du roi. Les épousailles ont lieu comme il se doit, devant des invités perplexes. Après le banquet, Sir Gawain escorte sa nouvelle épouse aux appartements nuptiaux.

À son invite, il l'embrasse avec courage. Elle se transforme immédiatement en une très belle femme.

Débordant de joie de constater qu'il venait de briser un mauvais sort, il lui ouvre grand les bras. «Attendez», dit-elle.

«Vous avez un choix à faire. Je peux être une hideuse sorcière pendant le jour et reprendre ma véritable apparence pendant la nuit. Ou je peux être charmante pendant le jour et affreuse pendant la nuit. Choisissez.»

«Ce choix concerne votre vie», répond-il. «C'est à vous de choisir.» Par ces mots, le mauvais sort jeté sur la dame par son méchant oncle se dissout.

Elle retrouve alors tout son charme. Puis elle et Sir Gawain vécurent heureux à jamais. Ce que les femmes veulent vraiment, c'est de pouvoir décider de leurs propres vies.

6 MAI

LE TRAVAIL

Les travaux accomplis par de nombreuses femmes sont florissants grâce au perfectionnisme.

Il faut reconnaître qu'il est parfois nécessaire de poursuivre le travail jusqu'à ce que tout le rangement soit terminé, tout l'article soit écrit, tout le projet soit complété.

Mais si cette obsession de la perfection persiste, cela peut tuer l'esprit sur lequel repose notre travail.Mon esprit survit à cause de ma famille.

Ils perçoivent instinctivement le moment où l'implication créatrice a dégénéré en affairement aveugle.

Ils pénètrent dans mon bureau, un après l'autre ou tous ensemble, et s'assoient délibérément.

Seulement parce qu'ils ont besoin de se sentir près de moi. Pour affirmer la place qu'ils ont dans ma vie. Les personnes que nous aimons nous sauvent de nous-mêmes.

LES ANGES

Une tante formidable, lors d'une visite, nous racontait des histoires du temps où elle était dans les forces armées de l'air.

Elle s'était enrôlée au moment de la deuxième guerre mondiale et, vers la fin de la guerre, on lui administra un médicament sulfamide, nouveau à cette époque, pour combattre une maladie. Elle tomba rapidement dans le coma et y resta durant trois semaines. Pendant cet épisode, elle vit un ange enveloppé de lumière lui faire signe de le suivre, et elle entendit une merveilleuse musique.

L'ange prit sa main. Ma tante l'aurait suivi si ce n'avait été que sa mère, ma grand-mère (bien qu'elle se trouvait à des milliers de kilomètres de là) est aussi pparue dans la vision.

Elle lui prit l'autre main et la ramena aussitôt. C'est à ce moment précis que ma tante se réveilla. Cela a suscité toute une série d'histoires au sujet des anges. Nous avons parlé des anges pendant toute la durée du souper. Ma fille écoutait, les yeux grand ouverts, nos histoires d'anges qui apparaissent dans d'étranges circonstances pour protéger les gens.

Puis, respectueusement, comme si elles se trouvaient dans la pièce avec nous, elle prononça les noms de deux victimes d'un tueur en série. «Où se trouvait l'ange dans leur cas alors?», demanda-t-elle doucement.

Je ne sais pas pourquoi les anges apparaissent à certains moments et qu'ils ne le font pas à d'autres. J'ai suffisamment entendu d'histoires au sujet de leurs interventions pour croire qu'elles sont réelles. Même si parfois il nous semble qu'ils ne soient pas présents. Je crois que la puissance du bon est supérieure à celle du mal, et que la compassion de Dieu pour qui est vulnérable est sans borne.

Une telle angoisse dépasse toute tentative d'explication théologique. Nous n'avons que cette ferme certitude que l'univers de Dieu est plus vaste que la mort.

8 MAI

LE TYPE DE PERSONNALITÉ

J'ai déjà fait partie d'un groupe de travail dont la majorité des membres étaient des «intuitifs». Les personnes intuitives prennent des décisions en effectuant des bonds plutôt que par raisonnement logique.

Si quelqu'un leur demande comment elles en sont venus à la solution d'un problème, elles avouent simplement qu'elles en ont eu l'intuition.

De plus, elles ne sont pas très préoccupées par les détails tels que l'heure ou le temps qu'il faudra consacrer pour accomplir la tâche.

Le fait d'être surtout centré sur le monde intérieur amène ce genre de chose.

Ce comité constituait une aventure créatrice, la seule personne qui n'était pas de type intuitif devant porter la lourde responsabilité d'une foule de détails.

Elle finit par se révolter et demanda que quelqu'un d'autre tienne compte du temps et dresse la liste des responsables des tâches et l'échéancier..

Mais personne ne s'emballa contre person-

ne, même pas contre elle. Il est bien d'avoir des théories de la personnalité qui nous aident à objectiver les comportements des gens.

9 MAI

LA POTERIE

Où que j'aille, j'en reviens avec des pièces de poterie locale, fabriquée avec de l'argile locale.

Une tasse, si je n'ai pas beaucoup d'argent, un pot ou un vase, si j'en ai plus. L'art du potier me remplit d'admiration. Je suis ébahie par cette capacité de prendre de la terre et d'en sortir une belle pièce cuite.

J'apporte ce morceau de terre locale chez moi. Aucun caravanier, transportant l'art des Phéniciens sur les routes commerciales de l'antiquité, ne pouvait être plus fier que je le suis lorsque je monte dans l'avion en tenant contre moi mes tasses ou mes bols fragiles. Quelle merveille que des pièces de Terre

Mère puissent procurer du plaisir à l'autre bout du monde!

10 MAI

LA SOLIDARITÉ

J'ai fait la connaissance de Mirtala dans une église au El Salvador. Elle avait été arrêtée par la police à cause de son implication dans une organisation qui aidait les réfugiés salvadoriens à retourner chez eux.

Grâce à notre interprète qui traduisait ses paroles en anglais, elle nous raconta l'histoire de sa torture. J'ai écrit, incapable de pleurer, par besoin de dire son histoire.Mirtala était l'une des chanceuses, encore vivante et en route pour aller consulter un médecin. Quelques semaines plus tard, elle était de retour sur la frontière, accompagnant des réfugiés qui rentraient. Peu après, la guerre civile fit rage.

Six prêtres jésuites, leur ménagère et sa fille furent assassinés. Mirtala avait disparu. Le courageux ministre de l'église où nous nous étions rencontrées avait été mis en prison. À ce moment-là, j'étais revenue au Canada.

J'ai répété son histoire partout où je le pouvais. Lorsque d'autres femmes ont entendu l'histoire de ses souffrances,elles ont exercé des pressions sur leur propre gouvernement pour qu'ils interviennent.

Qui sait l'impact que cela a eu; mais elles ont ressenti la douleur d'une autre femme comme étant la leur. Voilà ce qu'est la solidarité. Nous ressentons la douleur d'une autre personne comme étant la nôtre.

11 MAI

MIRTALA AU EL SALVADOR

Les Américains pleurentJennifer aussi, dans le rôle d'interprète comme s'ils devaient se racheter
Ils payent le prix pour être des *gringos*.

Déjà les mots surgissent dans ma tête. Laisse-les sentir la morsure des menottes. Les yeux bandés, poussée dans des escaliers sans fin.

Laisse-les sentir l'odeur chimique et cruelle. Le chaud liquide sur tes seins.

Dix noms ou nous les couperons et la mince corde autour de tes mamelons tendue jusqu'à ce que tu t'évanouisses.

L'air est chaud et humide et nous respirons tes souvenirs par la bouche. Nous aspirons ta géométrie du désespoirl'angle des murs, la linéarité de la corde, l'ombre pentagonale de ta peur et au centre, un démon là où des hommes se sont déjà tenus.

12 MAI

LE RESPECT

Re-spect signifie regarder à nouveau. Nos façons de voir, pour la plupart, tirent profit d'un second regard et plus prolongé.

Les peuples des Premières Nations nous invitent à vivre dans le respect de la Création, en jetant un nouveau regard sur le monde que le Créateur nous a donné.

Et nous-mêmes. L'analyste James Hillman a dit que les rêves tentent simplement de nous convaincre de nous re-specter, de jeter un nouveau regard sur notre enfance oubliée.

Et les femmes. Il y a ce long passage dans le Livre des Proverbes qui m'a toujours causé des difficultés.

Il décrit l'épouse vertueuse qui file et tisse, qui achètedes terrains et se lève alors qu'il fait encore nuit pour nourrir sa famille - un idéal irréalisable qui fait que je me sens fatiguée.

Mais on y lit aussi ce verset que je n'avais pas remarqué. «Elle est forte et respectée, et elle ne craint pas l'avenir», écrit l'auteur. Ma difficulté avec ce passage tenait à ma croyance que son travail était considéré comme dû. Mais il ne l'était pas. Elle était respectée. Jeter un second regard en vaut toujours la peine.

13 MAI

LE PARDON

Il est facile de s'empêtrer dans les profonds dilemmes du pardon. Et que dire des excuses, du regret, des je-ne-le-ferai-plus-jamais ?

Les gens impliqués dans des relations abusives doivent-ils simplement pardonner soixante-dix fois sept fois, comme le disait Jésus ? Foster Freed, un sage pasteur que je consulte souvent, affirme que «le pardon est impossible à moins de voir qu'il ne s'agit pas d'un choix».

C'est pour nous aider que Jésus prononce ces paroles sous la forme d'un commandement. Être une disciple de cette personne nommée Jésus n'est pas chose facile.

Il m'arrive parfois d'agir comme si cela l'était. J'oublie que ce paysan juif avait un programme tellement radical et différent de la manière habituelle qu'ont les gens de se comporter, que ça en est impossible. Et nous ne disposons plus que de la grâce, cet amour miséricordieux et inébranlable de Dieu.

14 MAI

LA PRIÈRE DU PARDON

La grâce est une miséricorde dont nous ne sommes pas dignes, un amour que nous ne méritons pas, les fruits d'un cœur généreux qui ne demande rien en retour.

Elle vient de Dieu. Les humains peuvent occasionnellement s'y essayer.

Prière du pardon

Dieu bienveillant,

Lorsque j'ai le goût de vengeance, rappelle-moi ta grâce.

Lorsque je suis fatiguée de déterminer ce qui est juste, rappelle-moi ta grâce.

Aide-moi à rechercher la justice, et rappelle-moi ta grâce.

Aide-moi à être bonne, et rappelle-moi ta grâce et ton amour. Amen

15 MAI

L'ÉQUITÉ

Une fois, alors que je parlais au téléphone avec une amie, et que j'écoutais surtout, mon fils cadet arriva soudainement tout joyeux pour m'offrir un livre tout écorné de Scott Peck, ouvert pour être lu à la bonne page.

Exactement à l'endroit que je lui ai souvent cité. «La vie est difficile», dit Peck. «C'est là une grande vérité, l'une des plus grandes vérités.

»Les femmes entretiennent la maison, prennent soin des bébés, développent des carrières et

essaient de faire en sorte que les choses tournent rond.

Nous devons faire attention aux endroits où nous circulons le soir venu. Si nous entreprenons une carrière non traditionnelle, nous devons être solides; que Dieu nous vienne en aide si nous nous mettons à verser des larmes dans la salle de réunion du conseil!

Ce n'est pas juste. Peck a raison, la vie est difficile. Nous nous rendons simplement plus malheureuses si nous nous attendons à ce qu'il en soit autrement. Alors nous avons besoin de mener nos combats. Mais nous avons aussi à nous réconcilier avec l'injustice inhérente à la vie de chacune, et nous réjouir tout de même au beau milieu de tout cela. Ou alors, nous deviendrons cinglées à force d'espérer.

16 MAI

LES AMIES

Une faible estime de nous-mêmes nous piège de plusieurs façons. J'ai de la difficulté à initier des contacts avec de vieilles amies.

Je suis trop fatiguée à la fin de la journée de travail, mon travail est exigeant, je ne veux pas passer plus de temps au téléphone.

Mais la vérité, c'est que je ne peux m'imaginer la raison pour laquelle j'aurais de la valeur aux yeux de qui que ce soit, pour laquelle quelqu'un souhaiterait recevoir mon appel.

Malgré cela, j'ai le bonheur d'avoir des amies qui recherchent ma compagnie. Elles ne me laisseront pas m'isoler à cause de ce sentiment bizarre de ne pas en valoir la peine, présent uniquement dans mon cœur.

Ma tête sait bien que je suis parfaitement acceptable.Je ne suis pas seule là-dedans. Même si nous ne sentons pas notre propre valeur, nous devons reconnaître que nous en avons. Nous sommes faites à l'image de Dieu.

17 MAI

LE VIEILLISSEMENT

Une de mes amies aime bien raconter la journée où elle s'est rendue compte qu'elle avait atteint le mi-temps de sa vie.

Elle était allée dans un magasin et elle regardait les vêtements depuis un certain temps avec l'aide attentive et intentionnée de la jeune femme qui travaillait là.

«Je vais aller à ma voiture pour rapporter la blouse avec laquelle j'essaie d'assortir mon nouveau vêtement», dit-elle, «et je vais revenir tout de suite.» Elle revint aussitôt et se présenta, avec sa blouse, à la même vendeuse qui la regarda sans montrer le moindre signe qu'elle la reconnaissait. «Oui madame, qu'est-ce que je peux faire pour vous aujourd'hui ?», demanda-t-elle poliment. Les femmes deviennent invisibles rendues à un certain âge.Il n'y a rien qu'on puisse faire contre cela. Sauf de prendre plaisir à notre invisibilité (le vol à l'étalage n'est pas une option souhaitable) et surprendre parfois les gens en prenant soudainement la parole d'un endroit où ils sont certains qu'il n'y a aucune créature vivante.

Les *Raging Grannies* (les Grand-mères furieuses), qui ont surpris les piétons en se mettant à chanter des chansons choquantes sur la justice et la paix, ont développé tout un mouvement fondé sur ce principe. Peu importe si nous sommes encore jeunes, c'est une bonne idée de se préparer au jour où nous ne serons plus visibles à l'œil nu.

18 MAI

L'ÉCHEC

Je fais surtout face à l'échec en le niant autant que possible. Il m'arrive toutefois, quand je me sens courageuse, que je regarde à l'intérieur et jette un œil sur l'atelier qui ne s'est pas bien déroulé, sur le livre qui ne s'est pas vendu, sur la relation qui s'est éteinte, sur l'argent que je n'ai pas gagné (un signe tellement évident de l'échec!).

Puis je referme cette porte aussi vite que possible.Je sais que quelque chose de ténébreux se cache derrière tout cela parce qu'il y a des jours où je ne peux ni lire la liste des meilleurs vendeurs ni regarder le solde de mon compte de banque.

Faire le bilan des succès ne m'aide en rien. Pour les femmes perfectionnistes, la moindre tache gâche tout le tableau. La tête n'est en cela d'aucune aide.

Ma tête sait que l'atelier a été un échec parce que j'ai pris un risque et que j'ai essayé quelque chose de nouveau; la relation a échoué parce que nous sommes - après tout - humaines; le solde en banque est peu élevé parce que j'ai choisi de vivre ma passion.

Mais ça ne donne rien de bon. Seuls nos

rêves et nos amis, qui tous deux parlent le langage du cœur, peuvent nous sauver.Le succès, c'est savoir aimer inconditionnellement nos amis et nous-mêmes. Les deux. Tout le reste, c'est un échec déguisé.

19 MAI

LE STRESS

Après toutes ces années au cours desquelles je me suis placée dans de nouvelles situations (les journalistes font ça, c'est leur travail), où je me suis sentie embarrassée et tendue, j'ai découvert une vérité utile.

Aucune situation nouvelle n'est jamais aussi stressante le deuxième jour.

Elle n'est plus aussi nouvelle et une grande partie du stress est causé par la nouveauté.

Cela m'a demandé beaucoup de temps pour en venir à cette conclusion. Une façon de faire face à la vie quand notre esprit et notre corps décident que c'est la crise, c'est de retomber en enfance.

Redevenant immature, je ne pouvais pas avoir une vue d'ensemble suffisante pour me rendre compte que je m'étais déjà sentie ainsi, et que ce sentiment se dissipait toujours. J'écris tout ceci pour ne pas l'oublier. Les femmes possèdent une énorme capacité d'adaptation. Notre biologie va nous faire passer au travers.

L'ARGENT

Peu de choses ramènent aussi vite les femmes à l'enfance que l'argent.

Pour certaines, dans ce que les sociologues appellent la «famille d'origine», l'argent était une source de disputes.

Afin d'éviter de répéter cela, nous refusons tout simplement d'aborder les questions d'argent.

C'est le déni en action. D'autres ont vu l'argent être utilisé pour maintenir nos mères dans une situation de servitude.

Nous sommes remplies d'une colère diffuse en rapport avec cela, et du désir tenace d'avoir absolument notre indépendance financière.

D'autres ont vécu dans des familles comblées d'argent, mais il était encore un moyen de réprimander, de marchander ou de soudoyer - aucune de ces activités n'était saine.

D'autres ont survécu à une grande pauvreté et portent les marques fréquemment observées chez les survivantes : un sentiment de culpabilité constant, un sentiment de responsabilité toujours présent.

Notre désir de consommation de biens est humain, et non pas immoral.

Mais quand nous sommes submergées par des besoins imaginaires, il est bon de se demander ce que nous recherchons : l'argent, ou une enfance heureuse ?

LA CROYANCE

Parfois les gens s'exclament avec étonnement «Vous croyez aux rêves! Qu'est-ce que c'est que ça ?» Ils s'étonnent rarement (mais la plupart acceptent) du fait que je crois en Dieu, en la Bible, en Jésus et aux anges.

Je fréquente l'église après tout.C'est étrange. Les rêves existent. Comment pourrais-je ne pas croire en une réalité qui se présente à moi nuit après nuit ? C'est la même chose avec la Bible. Elle est là. C'est un livre rempli de formidables histoires qui m'enseignent davantage que ce que je ne pourrai jamais apprendre.

Elle est solide et imparfaite, pleine d'ambiguïté, de cruauté et de sagesse. Une réalité. Je ne peux pas plus la faire disparaître qu'une femme musulmane pourrait faire disparaître le Coran. J'ai vu Jésus dans la mangeoire dans cinquante spectacles de Noël.

Il a été noir, blanc, homme, femme. Réel. Dieu a parlé dans mes rêves, une réalité que je ne peux ni faire apparaître ni détruire.

Chaque semaine ou à peu près, un ange apparaît sur le seuil de ma porte et dit «Es-tu libre pour le dîner demain ? J'ai besoin de parler.»

Elle me dit : «Tu travailles trop fort, voici ton souper.» Elle me présente un plat qui me durera trois jours. Je n'ai pas à croire en elle, je n'ai qu'à la remercier.On ne peut forcer quiconque à croire. Il existe seulement des réalités qu'on accepte ou non.

22 MAI

LA SOLITUDE

Pour que les femmes soient créatives, la solitude leur est parfois indispensable. Et la solitude, comme toutes bonnes choses, tel le feu, l'eau, le soleil et la pluie comportent un aspect destructeur.

Lorsque le silence se fait trop profond et veut nous accaparer totalement et pour lui seul, jour après jour; lorsque le travail de création prend toute notre énergie et qu'il ne nous en reste plus pour rencontrer qui que ce soit; si nous sommes chanceuses, nos amies vont venir nous sauver. Pas trop tôt, ou alors notre peinture, notre écriture, notre chant ou notre réflexion resteront inachevés.

Ni trop tard, ou nous y perdrons notre âme. Nous ne devrions jamais sous-estimer le pouvoir de la solitude tant pour le bien que pour le mal.

23 MAI

L'AMBIGUÏTÉ

Je me méfie de quiconque est sûr de ses réponses. Même lorsque je suis d'accord avec eux, une vision du monde où le gris n'apparaît pas me rend nerveuse.

Cela vient probablement du fait que je travaille beaucoup avec mes rêves, que je sache que de l'autre côté de tout symbole intérieur ou de toute vérité imaginée, il y a une autre vérité, une autre idée, perçue à partir d'un angle différent. Et cela vient tout changer. Le monde est rarement clair et certain. La capacité de supporter l'ambiguïté y facilite la vie.

24 MAI

L'ESPOIR

C'est le temps de faire les plantations. J'ai transporté les jeunes plants au-dehors et en dedans le soir, jusqu'à ce qu'ils soient suffisamment robustes pour vivre leur propre vie.

J'ai redécouvert à quel point le jardinage est bon pour les femmes.

Il y a des choses que nous avons apprises alors que nous étions toutes petites, donnant les patates germées à nos grand-mères ou à grands-pères : que notre force vient de la terre et que nous ne sommes rien lorsque nous en sommes coupées; qu'elle est vraiment notre mère.Jésus savait cela puisqu'il était le fils de gens de la campagne.

Il savait que s'il parlait de la puissance d'un minuscule grain de moutarde, ceux qui l'écoutaient comprendraient instinctivement le potentiel qu'il décrivait.

Il connaissait que l'expression «les lis dans le champ» évoquerait une beauté irrésistible et que son public se réjouirait de l'amour d'un Créateur qui offre la pluie et le soleil pour leur plus grand plaisir.

LES PASSIONS

Autour de la fin du mois de mai, une légère passion - une maladie en fait - s'empare de tout notre voisinage.

Dans mon cas, ça dégringole éventuellement jusqu'à la folie. Le jardinage. Je me lève avec le soleil, un peu plus tôt chaque jour, et me rue à l'extérieur en plein délire. Je couvre et je découvre les jeunes plants, d'une manière rituelle.Je prends des risques stupides. Je les plante dehors trop tôt.

Les jardiniers s'assemblent et nous conférons avec nombre de mouvements de tête, tels des médecins autour du lit d'un patient. «Il est trop tôt», nous rassurons-nous les uns les autres.

Dès qu'ils sont partis, je me précipite dans la cour arrière et j'en plante davantage, me sentant coupable, fiévreuse, droguée.

À cause de cela je comprends, sans toujours les pardonner, certaines fautes qui tirent leur origine dans le désir. Lorsqu'ils sont devenus sages, des hommes me racontent (comme ils le font parfois - j'ai ce qu'on appelle une bonne écoute) comment leur mariage s'est effondré alors qu'il poursuivait une autre femme, je fais signe que oui de la tête.

Je comprends exactement ce qu'est le désir sexuel. C'est le sentiment que je ressens envers mon mari onze mois par année, et à chaque mois de mai, envers la serre que je ne peux m'offrir. Les gens qui désirent intensément une maison de verre ne devraient jamais lancer de pierres.

26 MAI

LA SOUFFRANCE

Dieu n'envoie pas la souffrance pour nous rendre plus fortes, ou pour nous tester, ou pour s'assurer que nous allons vouloir aller au ciel. Dieu n'envoie pas du tout la souffrance. Dieu est simplement avec nous lorsque nous souffrons. La souffrance n'est pas inscrite dans nos vies au moment de la naissance.

Elle ne constitue pas notre destin. Si nous n'arrivons pas à trouver pour quoi remercier Dieu quand nous souffrons, Dieu ne se mettra pas en colère.Souffrir n'est pas signe de noblesse. Et il est approprié de faire une crise et de crier à Dieu lorsque nous avons de la douleur; nous ne nous mettrons pas Dieu à dos pour autant.

Le seul élément lumineux dans toute cette affaire concernant la souffrance, c'est ce rapprochement particulier vécu avec les autres personnes qui souffrent aussi, et qui se tiennent à vos côtés et vous offrent leurs larmes sans pour autant nier leur propre douleur.

Regardez-y de près : Leurs visages reflètent le visage de Dieu.

27 MAI

L'ÉCRITURE SAINTE

La Bible, le Coran, le Talmud, tous les textes sacrés nous atteignent à des niveaux inconscients.

Nous pouvons penser que nous possédons une compréhension rationnelle de ces histoires.

Mais leur véritable pouvoir réside en ce qu'elles éveillent certains personnages en nous-mêmes.

Une fois, un de mes amis a entrepris l'étude de l'Avent en abordant chacun des personnages de l'histoire, et en essayant de trouver chacun d'eux en lui-même.

«Où en moi se trouve le lieu de la pureté, comme Marie, digne de donner naissance à Dieu ?», se demanda-t-il.

«Où se trouveen moi la simplicité des bergers ?»Il se rendit compte, dit-il, qu'il ne put retracer ces personnages avant d'avoir d'abord trouvé Hérode.

Une fois qu'il eut rencontré le tyran colérique en lui-même, la part de lui qui se sent menacée par la nouvelle vie, un espace s'ouvrit. Il admet que ce n'est pas là une lecture très littérale du texte sacré. Il la lit comme une parole vivante, quelque chose que vous rencontrez, quelque chose à chaque fois renouvelée. Quelle que soit notre sainte Écriture, nous avons besoin d'y pénétrer sans peur.

28 MAI

LES POÈMES

Il est extrêmement important d'écrire de la poésie. Nulle poésie n'est mauvaise lorsqu'elle entreprend honnêtement de saisir quelque aspect singulier de la vie. L'effort même de l'écrire est un poème.

Il nous oblige à regarder la vie en face.Les poèmes parlent de choses que nous voyons et que

nous ressentons; ainsi, quand nous composons un poème, nous nous arrêtons, exerçons notre regard et sentons.

C'est là faire honneur à notre Créateur qui fit toute souffrance, toute joie et toute beauté, le cœur de nos poèmes.

Dieu accorde peu d'attention aux modes concernant les rimes et les mètres.

Dieu aime la respiration retenue, l'émerveillement, les efforts pour dire ce que nous voulons.

29 MAI

LE REGRET

Mon cadet, le nageur, donne un conseil à sa sœur plus jeune. Elle est confrontée, paralysée, par une prise de décision paradoxale.

«Il arrive parfois qu'il te faille simplement prendre une décision,» lui dit-il, «et qu'aucune ne soit complètement bonne ou complètement mauvaise. Tu dois simplement aller de l'avant et en prendre une, et *ne pas regarder en arrière*. C'est le credo du nageur.»

Le regret représente rarement un sentiment utile. Les sentiers non parcourus sont vite envahis par la jungle de la vie quotidienne.

Ne regardez pas en arrière. Quoi que nous regrettions ne pas faire - ou faire - nous pouvons nous en plaindre et continuer à avancer. Autrement, nous nous noyons.

LES RITUELS

Lorsque ma fille avait seize ans, elle vint me voir calmement et me dit qu'elle allait être en état d'ébriété ce soir-là, lors d'une fête, et que je ne devais pas me faire du soucis.Je n'étais pas contente.

Je redoute beaucoup le mélange de la jeunesse et de l'alcool et je lui ai dit. «Nous nous surveillons entre nous,» affirma-t-elle en toute confiance, «à la soirée. Et nous avons désigné notre conducteur.»J'ai respecté sa confiance. Nous avons parlé pendant un moment - c'est moi surtout qui parlais, lui disais toutes mes inquiétudes.

Elle écouta attentivement puis elle se rendit à la soirée, consomma de la bière et revint à la maison avec trois amies.

Elle était très malade. J'étais profondément mécontente. Lorsqu'elle fut rétablie dans l'après-midi, elle téléphona à chacune de ses amies, sauf à celles qui étaient présentes, et leur raconta tout au sujet de cette soirée.

C'est à ce moment-là que j'ai compris que de s'enivrer constitue un rituel étrange, et toxique, de la croissance.

Elle a besoin de marquer le passage à l'âge adulte et la séparation d'avec ses parents. Comme d'autres rituels de passage dans d'autres cultures, celui-ci comporte un danger et un état modifié de la conscience. Sa confirmation - n'étant pas remarquée par la plupart de ses compagnes et pas suffisamment distincte de ses parents qui fré-

quentent l'église - s'avère insuffisante.Les rituels inscrivent dans la conscience un changement dans le champ de vision des spectateurs de sorte qu'ils ne peuvent pas oublier; c'est là le but visé. Certains sont plus douloureux que d'autres.

31 MAI

L'ACCOMPAGNEMENT

L'essentiel de l'amitié peut être trouvé dans le travail accompli par certaines personnes de Montréal (et d'autres villes également, c'est uniquement parce que c'est là que je les ai observées).

Elles accompagnent des gens qui sollicitent le statut de réfugiés lors des audiences où se prend la décision s'ils peuvent ou non demeurer au Canada.

Elles ne font pas le travail légal. Elles ne font que les accompagner dans ces moments qui suscitent la peur. C'est ce qui se passe dans l'amitié.

Nous nous accompagnons mutuellement dans des endroits qui nous font peur, dans l'obscurité de notre propre ombre, se disant nos peurs l'une à l'autre. Ou à travers un divorce.

Ou à travers la perte d'un emploi, la croissance d'un enfant, ou n'importe quel territoire étrange et mal connu de la vie d'une femme. La vie fait de nous toutes des réfugiées dans une terre étrangère et nous n'avons que nos amies pour être à nos côtés.

JUIN

1ER JUIN

LA DÉFENSE DU CONSOMMATEUR

Nous vivons dans une société qui sera incapable de procurer toutes les bonnes choses annoncées à la télévision à tous ses enfants.

Alors nous ferions mieux d'élever nos enfants, qui sont heureux tels qu'ils sont, à être des individus créateurs,et non à être des petits consommateurs.

Il vaut mieux qu'ils soient valorisés pour qui ils sont - des enfants de Dieu qui charment, construisent, dessinent, sculptent, chantent ou cuisinent - et non pour ce qu'ils ont les moyens d'acheter. Valorisés pour leur propre créativité intérieure.Ça ne ferait pas de mal de s'asseoir par terre le plus tôt possible et de construire une tour de blocs avec un enfant de trois ans.

2 JUIN

LA SOLITUDE

Quand nous avons déménagé pour la première fois dans un quartier, je me sentais nerveuse. Et si c'était comme on le montrait à la télévision - des femmes faisant irruption à toute heure pour prendre un café ?

Pas que je n'aime pas le café ou la visite. Tous deux sont essentiels, et surtout la conversation. Particulièrement avec une bonne amie.

Mais le temps passé en solitaire pour lire ou pour écrire un rêve et y réfléchir est également essentiel.

Ce n'est pas facile à expliquer. C'est correct de dire que vous travaillez, peignez ou jardinez.

Mais essayez de laisser entendre que vous projetez passer le reste de la journée à - disons - penser.

En fin de compte, les autres femmes du quartier n'étaient pas du tout comme le suggérait la télévision. Elles avaient toutes un travail. Ainsi, alors qu'une pause-café à dix heures du matin eut été dans l'ordre des choses, ça ne ne produisait pas dans ma cuisine.

J'avais le temps de faire le vide en moi, de taire le bavardage intérieur d'être suffisamment tranquille - comme l'a dit le théologien Henri Nouwen - pour pouvoir écouter les autres et être capable d'une véritable hospitalité.

Contrairement à la croyance populaire, la solitude n'est pas une maladie; elle est une cure.

3 JUIN

LA MORT

Nous avons plus de responsabilité par rapport à notre propre longévité que nous le pensons.

Un exemple. Ma mère, maintenant âgée de plus de quatre-vingts ans, a rêvé que mon père (décédéil y a quelques années) est apparu devant elle, portant une valise.

«C'est le temps d'y aller», lui disait-il gaiement. «Je ne suis pas encore prête», lui répondit-elle sur le même ton.

Ma mère avait décidé de ne pas mourir.

«Nous ne ferons plus de rêves au sujet de la mort, grand-maman», lui dit sa petite-fille lorsqu'elle entendit cela.

(Elle a appris de sa grand-mère comment être directe.) Ma mère se mit à rire.

Nous savons ce qui la garde ici.Le «non» d'une femme est une puissante affirmation, particulièrement quand elle est formulée par amour.

4 JUIN

SUSPENDRE LES VÊTEMENTS

J'aime étendre la lessive. Comme le dit Thomas Moore, le moine devenu écrivain, il y a un enchantement dans les choses du quotidien. Tous les sens, y compris la mémoire, deviennent vivants.

Le vent doux et le soleil me caressent la peau. Je peux revoir ma mère, plus jeune, debout sur la galerie arrière tenant des épingles à linge dans sa bouche. Je peux revoir mon père (pas une scène familière à cette époque) en train de ramener la corde quand la pluie menaçait, pliant avec soin le linge dans le panier. Les anges de l'ordinaire.

Certes, je suis le plus souvent trop occupée pour faire autre chose que de passer le linge de la laveuse à la sécheuse. Et puis aussi, on est tellement libre dans cette maison que chacun fait sa propre lessive et ce, depuis l'âge de huit ans. Mais de temps à autre, je fais une incursion dans le

passé, je rends visite à ma jeune mère et j'étends la lessive dehors; elle sèche au soleil et prend l'odeur de mon enfance.

Et je ne suis pas pressée.

Notre passé, si nous le laissons parler, peut jeter un regard critique sur notre présent.

5 JUIN

UNE HISTOIRE DE FAMILLE

Mes enfants me racontent ceci. Quand ils étaient petits, ils revenaient parfois de l'école et apercevaient notre cafetière, noircie par la fumée, placée dans la neige près de la porte de la cuisine.

Cela leur faisait plaisir. Ils savaient ce que cela voulait dire : L'écriture de maman se passe bien. Elle a oublié le café sur la cuisinière.

Elle l'avait placé sur le rond du poêle pour s'occuper les mains pendant qu'elle mettait en forme une idée et, quelques moments plus tard - le café s'étant tout évaporé pendant qu'elle écrivait - lançait la cafetière fumante dehors par la porte de cuisine. La maison sentait amère quand ils entraient.

Depuis ce temps-là, disent-ils, l'odeur âcre du café brûlé les rend heureux.

Tout va bien dans le monde, leur dit cette odeur. Lorsque nos enfants sont tout jeunes, nous représentons pour eux le centre de leur vie.

Et tout ce qu'ils demandent, c'est que nous soyons heureux.

LE TYPE DE PERSONNALITÉ

Il arrive que mon époux et moi travaillons ensemble à un séminaire ou à un projet. Il rend tout cela merveilleusement amusant; il est détendu, drôle et plein d'idées.

Nous sommes par contre bien différents sur un plan important.

Il aime garder ouvertes toutes ses options (les nôtres, dans ce cas). Et je préfère que tout soit bien ficelé d'avance.

Et au plus tôt. Cela peut conduire à une certaine tension. Cependant, nous sommes des amis depuis longtemps et nous avons cessé (ou presque) de considérer l'autre comme un cinglé.

C'est seulement la façon dont nous sommes faits, la manière que nous abordons la vie.

Alors j'essaie de faire confiance en me disant qu'il doit avoir un plan derrière tout ce brouhaha sur la façon «que nous pourrions faire ceci», ou «que nous pourrions faire cela», et de «Avais-tu pensé que...».

De son côté, il tente d'arrêter certaines décisions sachant que je vais être énervée jusqu'à ce que cela ne se fasse. Ça a demandé du temps.

Quand une personne que nous aimons nous rend folles, sans le savoir, il s'agit probablement d'une différence à de personnalité. Ce n'est ni de leur faute, ni de la nôtre.

LES AMIS

Il est possible que les hommes et les femmes soient des amis, même quand ils sont mariés avec quelqu'un d'autre. Avec beaucoup de prudence. Même dans la zone démilitarisée de la guerre des sexes et en dépit des dangers de l'attraction mutuelle et de la possibilité du bavardage. Voici les règles à suivre :

Le repas du midi est moins susceptible de susciter les potins que le repas du soir. Une occupation commune, un carnet d'affaires ouvert sur la table, permet aux curieux de se sentir mieux. Le mariage de l'un et de l'autre doit être en bonne santé, ou alors l'amitié peut rapidement se métamorphoser.

Les conjoints respectifs ne doivent pas se sentir menacés par cette amitié. De telles amitiés ont de la valeur parce que les hommes et les femmes ont besoin de la manière de penser de l'un et de l'autre. Nous avons tant en commun au niveau de l'espèce, et nous sommes tellement étrangers l'un à l'autre.

En s'exposant aux manières singulières de l'un et de l'autre au cours de la conversation, nous devenons plus sages, plus conscients et plus complets.

Seules les femmes insensées lèventle nez sur la sagesse des hommes.

L'AUTORITÉ

Une illustration intéressante de l'autorité des femmes se trouve dans l'histoire de Salomé, Marie et Marie, la mère de Jacques, faisant route vers la tombe de Jésus après qu'il eut été tué, pour répandre des huiles sur son corps.

Ça n'a pas pu être facile. Elles avaient de l'autorité cependant; l'autorité qu'ont les femmes d'affronter ce qui a trait à la mort et au corps, et aussi le pur courage de risquer d'être étiquetées de rebelles.

Quand, au lieu du corps, les femmes aperçoivent deux anges qui les informent que «Jésus est ressuscité», elles s'éloignent du tombeau et vont raconter ce qu'elles ont vu aux autres disciples de Jésus. Les autres ne les croient pas.

En fait, Pierre va voir pour lui-même. Et plus tard, quand Paul rapporte l'histoire, les femmes sont complètement oubliées, malgré leur courage. Pierre devient celui qui annonce le Christ ressuscité. Cette histoire est suffisante pour faire grincer des dents toute femme qui a déjà eu à taire une proposition tout au long d'une assemblée en attendant qu'un gars y donne son approbation.

Et chaque femme qui a passé un bonne partie de son temps à changer des couches sait que prendre soin du corps n'est pas une tâche à prendre à la légère.

Le contenu biblique est maintenant révisé avec un œil critique. Marie, Salomé et Marie la mère de Jacques (ayez une pensée pour elle pour ce défi à son identité) retrouvent ce qui leur est dû.

Le courage d'effectuer le sale travail porte en lui l'autorité d'en témoigner.

9 JUIN

SAGES VIEILLES FEMMES

J'ai une formidable amie, une femme âgée, qui me dit ce qu'elle pense. Nous nous adressons l'une à l'autre d'une manière que les femmes de mon âge ne font pas. Nous pourrions être en train de travailler ensemble sur un rêve et elle me dirait calmement, mais bien fermement, qu'il semble indiquer que je suis trop rigide.

Ou peu importe. Cela ne se fait pas. Elle le fait de toute façon et j'ai beaucoup de tendresse pour elle à cause de cela.

Elle a acquis le droit de passer par-dessus les règles : elle est vieille, sage et elle a beaucoup souffert.

Elle me connaît depuis plusieurs années et elle m'aime même si elle a vu une assez grande partie de mon ombre personnelle. Et son intuition, à son âge, est si finement aiguisée que je lui fais confiance. Elle est une sage vieille femme. J'aspire à lui ressembler.

10 JUIN

LES PHOTOGRAPHIES

Ma mère est venue pour souper, chargée de boîtes de vieilles photographies en noir et blanc. «Je ne peux pas vraiment les voir de toute façon», dit-elle avec amusement.

«Je pense que tu devrais les garder ici.» Ses petits-enfants s'assoient autour de la table et fouillent dans les boîtes. En voici une d'elle et de mon père, terriblement jeunes.

Elle le regarde en souriant, alors qu'il a les yeux sur elle avec cette tendresse émerveillée, typique des jeunes mariés. En voici une autre, prise des années plus tard; elle rit sous le soleil pendant que mon frère et moi jouons avec un petit chien sur le quai.

Les photographies libèrent une foule de souvenirs; comme ce jour, encore jeune mariée, où elle remplit le poêle à bois dans leur petit et charmant appartement, plein à craquer, et l'allume.

Cela engendra un feu de cheminée dont le rugissement inquiétant était audible dans tout l'édifice. Nous rions devant l'innocence passionnée avec laquelle elle raconte cette histoire.

Elle et ma fille semblent être presque du même âge - jeune, toute étonnée devant la malhonnêteté de son propre poêle qui trahit une ménagère sans méfiance. Le temps chronologique (*Chronos*) définit la marche de notre vieillissement.

Il existe un autre temps (*Amos*) - dans lequel il est clair que l'univers est rempli d'amour - qui décrit comment nous vivons à certains rares moments.

11 JUIN

ÊTRE INDISPENSABLE

Afin de réaliser certaines activités créatrices - écrire, prier, materner, enseigner, et autres choses du genre - vous devez croire que le monde attend, espère ce que vous faites.

Vous ne pouvez jamais croire que votre travail pourrait ne pas être nécessaire. Quelque chose dont on pourrait se passer.

C'est l'idée que le monde attend, en retenant son souffle, ce que vous êtes en train de produire qui procure l'énergie à la force créatrice.

D'un autre côté, dès que nous commençons à sentir que nous sommes vraiment indispensables, nous faisons des choses bizarres.

Nous refusons de laisser le travail de côté, même lorsque nous sommes épuisées.

Nous cessons de partager les tâches. À la maison, ce sentiment évoque pas mal le sens du territoire, selon lequel personne ne peut gérer la cuisine comme vous le faites, personne ne peut confectionner des repas aussi nutritifs.

Même en écrivant ceci, je sors tout juste d'un épisode semblable. Je sentais que ce que je devais faire, personne d'autre ne pouvait y parvenir,et plus encore, cela devait se faire avant une date donnée.

Quand j'ai frappé un mur (travaillant trop, de très tôt à très tard), de bonnes amies me conseillèrent de renégocier la date de tombée.

Je devais abandonner cette idée que j'étais indispensable, le masque de l'invincibilité (un de mes préférés).

Je suis sortie de mon bureau et je me suis rendue compte que j'avais été absente dans ma propre maison.

Le réfrigérateur était plein de choses étranges, en train de pourrir.

Personne n'est vraiment indispensable. Souvent, par contre, nous sommes beaucoup aimées et avons beaucoup de valeur.

LA MANIPULATION

Les gens sans pouvoir sont devenus extraordinairement habiles à faire en sorte que les choses leur profitent sans que les autres ne s'en aperçoivent.

La manipulation : cette courte phrase formulée en public qui crie

«Pauvre moi, mon mari, mes enfants ne me portent aucune attention...»; ou cet habile trucage des prétendus choix de sorte que la victime est amenée à faire ce que souhaite le manipulateur.

Les enfants, particulièrement quand les parents sont occupés, deviennent des experts dans l'art d'aller d'un parent à l'autre et dire «Il m'a promis...» et «Elle m'a promis...»

Tout cela peut se comprendre. Les femmes qui ne détiennent pasde pouvoir peuvent devenir des manipulatrices accomplies, œuvrant subtilement pour obtenir ce dont elles ont besoin.

Nous pouvons nous pardonner tout cela, quand nous nous y adonnons.

Nous l'avons appris de nos ancêtres; nous en avons souvent eu besoin pour survivre.

Mais quand nous avons du pouvoir, et plusieurs d'entre nous en avons de nos jours - il n'y a pas de raison pour ne pas jouer franc jeu. Jouer en ne mettant pas les cartes sur table est uniquement un outil pour celles qui n'ont pas de pouvoir.

13 JUIN

LA CRÉATIVITÉ

Ça semble être de l'égoïsme et peut-être l'est-ce parfois.

Mais sauvegarder notre propre temps de création pour la réflexion, l'art, la méditation ou la prière est un égocentrisme nécessaire.

Sans lui, nous ne pouvons pas nous reposer, ni nous guérir, ni entendre l'univers nous parler. Les femmes ont le droit absolu du temps qui leur appartient.

14 JUIN

DIRE LA VÉRITÉ

Il est difficile pour les femmes de dire la vérité sans la maquiller. La vérité blesse souvent et nos mères nous rappelaient, après tout, que «si tu ne peux dire quelque chose de bon au sujet d'une personne, alors ne dis rien du tout.

»Mais je connais un professeur du secondaire qui a abusé sexuellement les plus fragiles de ses étudiantes sur une période de vingt ans.

Quelques parents avaient des doutes et ont mis en garde leurs propres filles.

Il ne fut pas mis un arrêt aux agissements de cet homme, qui cherchait toujours avec un instinct infaillible de nouvelles victimes, tant que - l'école ayant engagé une directrice - certaines étudiantes se sentirent suffisamment en confiance pour se confier à elle.

Faire la part des choses et dire la vérité en toute situation n'est pas facile. Toutefois cela fait partie d'un être adulte.

15 JUIN

LES RITUELS

Lorsque les enfants sont petits, ils veulent avoir de magnifiques gâteaux d'anniversaire ayant la forme de trains.

Je ne peux pas réussir cela. Ça revient toujours à une forme ronde ou carrée, décorée par mon humble effort à écrire leur nom dessus avec un lot de *Smarties*®.

Cette lacune a maintenant été engloutie dans la nuit des temps.

La confection du gâteau est un rituel auquel je me livre si l'un des enfants, maintenant devenus grands, 'adonne à passer à la maison à l'intérieur d'un ou deux mois du jour de son anniversaire.

Faire le mélange, penser à toutes ces personnes chéries, et le cacher jusqu'au moment propice constituent des moments d'un plaisir rempli de souvenirs.

Et puis le dernier élément du rituel: les lumières éteintes de sorte que la pièce est dans l'obscurité; la plus jeune personne présente apportant le gâteau, tout illuminé; la chanson, le souffle sur les chandelles.

La longue narration d'histoires. «Je me souviens la nuit où tu es née...»; et «Je me rappelle l'année de tes cinq ans...»Nous connaissons ces histoires par cœur.

Mais sans la marque de ces rituels - le feu, la chanson, la répétition, les chandelles, la réflexion en silence, la narration, les souvenirs, le mouvement, les gestes - nos vies se détacheraient.

Faire un gâteau de fête est une tâche sacrée, même s'il n'a pas la forme d'un train.

16 JUIN

GÂTEAU D'ANNIVERSAIRE (CHOCOLAT)

Brassez : 2 tasse(125 ml) d'eau bouillante et
3 carrés de chocolat non sucré jusqu'à consistance épaisse.
Crème :
2 tasse (100 g) de graisse végétale,
1b tasses (220 g) de sucre et
3 œufs, avec le mélange précédent de chocolat et battre pendant cinq minutes.

Mélangez : 23 tasses (200 g) de farine,
23 cuillères à thé (13 g) de poudre à pâte,
3 cuillère à thé (2 g) de bicarbonate de soude,
1 cuillère à thé (5 g) de sel.

Ajoutez à la crème en alternance avec
1 tasse (200 g) de babeurre, jusqu'à texture crémeuse.

Faites cuire au four dans deux moules graissés et saupoudrés de farine, 8″ ou 9″ x 12″ (20 cm X 22.5 cm X 4 cm), à 350 °F (180 °C) durant 30 à 40 minutes.

(C'est prêt lorsqu'aucune empreinte ne reste après l'avoir touché légèrement du doigt.)

Couvrez d'un glaçage au chocolat :
Mélangez a de tasse (66 g) de beurre mou,
3 tasses (260 g) de sucre à glacer, environ
3 cuillères à table (45 ml) de lait ou de café fort,
12 cuillères à thé (15 ml) de vanille.
Ajoutez 3 carrés de chocolat non sucré fondus.

17 JUIN

GÂTEAU D'ANNIVERSAIRE (BLANC)

Combinez : 23 tasses
(200 g) de farine à pâtisserie,
22 de cuillères à thé (15 g) de poudre à pâte,
2 cuillère à thé (3 g) de sel.
Crème : 13 tasses (166 g) de sucre, 2 tasse
(100 g) de beurre

Combinez : 1 tasse (250 ml) de lait, 1 cuillère à thé
(10 ml) de vanille

Mélangez : les ingrédients secs et liquides, en alternant, un tiers à la fois, avec les ingrédients crémeux. Brassez jusqu'à consistance douce à chaque addition.
Fouettez : 4 gros blancs d'œufs jusqu'à 'obtention d'une mousse solide mais non sèche, et ajoutez au mélange précédent.
Faites cuire au four : en couches à 350 °F (180 °C) pour environ 25 minutes. (C'est prêt lorsqu'aucune empreinte ne reste après l'avoir touché légèrement du doigt.)

Glacez : avec tout glaçage au citron, à l'orange ou au chocolat.

(Vous pourriez utiliser la recette de glaçage de l'article du 16 juin : oubliez le chocolat et remplacez-le par le citron ou le jus d'orange, le lait, la vanille et le café.)

18 JUIN

LE MARIAGE

Quand j'étais mariée, je croyais que la définition de «époux» était la suivante : une personne mâle qui construit des tablettes et qui répare les choses, se promenant dans la maison sans déranger pour mettre les choses en ordre.

Je suis certaine que lui, il avait une définition aussi ferme de «épouse». Ça m'a demandé des années avant que je ne me rende compte de la fausseté de ma croyance.

Le mariage est un exercice d'acceptation de qui est l'autre personne, d'amour inconditionnel. Les deux partenaires ont à faire leur part d'effort; mais la perception est une bête astucieuse.

Parfois chacun de vous a le sentiment de faire soixante-quinze pour-cent du travail. Alors nous achetons nos tablettes.

Je répare des poignées de porte défectueuses et des chaises brisées. Il racle la pelouse et tond le gazon.

Nous rions tous deux (moi de façon hystérique) devant son amour fou pour le changement des ampoules électriques. C'est une habileté domestique qu'il maîtrise bien.

L'autre jour il monta sur notre toit, haut et à pente très accentuée, pour voir d'où venait la fuite pendant que je tenais l'échelle et que je promettais à Dieu que si cet homme merveilleux redes-

cendait sain et sauf de ce toit, cet homme charmant qui règle les crises et qui me fait rire, alors je ne me plaindrais plus jamais.Ma définition de «époux» s'était considérablement élargie.

Le mariage est semblable à toute autre amitié. C'est une affaire d'amour de soi-même et d'amour de l'autre, un amour inconditionnel.

19 JUIN

L'ENNÉAGRAMME

Dieu a neuf visages.On dit que les femmes en ont deux. Cela fait de nous les deux-neuvièmes de la grandeur de Dieu. Alors me voici, jetant un regard avec les yeux de Dieu, Deux d'entre eux, Sur le monde.

Faudrait bien que cette place soit nettoyée! Non attendez, ce n'est pas Dieu qui parle ici, c'est moi. Essaie encore. Eh le monde, essaie donc de cette façon! Non, c'est encore mon moi dirigeant qui parle, Qu'est-ce que ferait Dieu ? Dieu se mettrait à pleurer.

20 JUIN

L'ÂME

Le monde redevient vivant, peu à peu. Pendant trop longtemps, les théologiens nous ont trompé en nous amenant à penser que les arbres n'avaient pas d'âmes, que les chiens n'avaient pas d'âmes. Les érudits du Moyen-âge se demandaient *Habet mulier animam ?*

Les femmes ont-elles des âmes ? La plupart des savants d'aujourd'hui ont dépassé ce stade. Quand l'âme du monde a été réprimée depuis longtemps, elle se relève de manières étranges.

Les gens qui ne possèdent pourtant qu'une vague compréhension du fait que les arbres ont une forme de conscience, vont les retrouver et leur font des accolades pour qu'ils ne soient pas abattus.

Cela serait une activité sans aucune complication si ce n'était que les travailleurs forestiers ont aussi des âmes. Les gens attribuent des pouvoirs de guérison aux cristaux, ayant l'intuition qu'il y a de la vie dans les pierres.

Il existe une médecine fondée sur les vibrations, les énergies subtiles et des hologrammes. Nous prions pour des gens qui se trouvent à des centaines de kilomètres de distance et envoyons des messages d'amour aux plantes.

Des animaux puissants font apparition dans nos rêves. Tout cela parce que nous ne pouvons vivre dans un univers sans âme. Nous avons remarqué juste à temps que la terre est vivante.

21 JUIN

LES OMBRES

Les femmes sont aujourd'hui capables de reconnaître lorsqu'elles projettent à l'extérieur leur propre et ténébreux vécu intérieur.

Par exemple, quand je suis dérangée par quelqu'un qui passe me voir à la course puis qui me quitte aussitôt, je reconnais ma propre tendance à être trop occupée.Mais nous reconnais-

sons rarement comment nous projetons au dehors notre bonté, notre ombre blanche.

Nous élevons certaines personnes sur des piédestaux - de généreux bénévoles, des pasteurs attentionnés, des médecins dévoués - les voyant comme des saints ou des héros. Nous encourageons nos maris à engager leurs carrières dans certaines directions au lieu de donner suite à ces intérêts et de les poursuivre nous-mêmes. Cette admiration sans borne prend sa source dans notre propre âme, notre propre capacité à être généreuse, douce et sage; nous-mêmes avons besoin de vivre au grand jour ces bonnes qualités.

Demander, ou permettre, à quelqu'un d'autre de vivre nos propres bonnes qualités est aussi périlleux que de les laisser vivre nos aspects plus sombres.

22 JUIN

LA CRÉATION

Il existe deux histoires différentes sur la manière dont mon époux et moi nous sommes rencontrés. Nous gérons cela de la même façon que les auteurs de la Genèse gèrent leurs histoires contradictoires.

Nous plaçons les deux versions de la création de notre relation côte à côte. Chacune d'elles est importante.

Nous ne pouvons nous souvenir laquelle vient en premier et elles sont maintenant mythiques, racontées tel un récit que nous faisons à nos enfants portant sur l'origine de leur espèce.

La plupart des couples font cela. Entretenir

un mythe de la création est une façon de déclarer que sa narration est sacrée. Et la nature même du mythe définit précisément ce qui est précieux et intouchable au sein du mariage. Nous nous sommes rencontrés le soir où Kennedy fut assassiné.

Cela a inséré une certaine note dramatique, une passion envers la politique globale dans notre mariage. Nous avons aussi fait connaissance (c'est la deuxième version) en ricanant dans un cours d'anthropologie. Nous reprenons ce mythe quand nous nous sentons tous deux jeunes et d'esprit léger, à titre d'antidote contre le sang et la tragédie de l'autre.

Chaque union sanctifiée comporte son propre mythe qui engendre l'histoire de la tribu.

23 JUIN

L'ORDRE

Il y a quelque chose de mythique au sujet d'un magasin de quincaillerie; toutes ces étagères, tous ces contenants et ces boîtes sont un hommage au principe de l'ordre. Se promener dans ces allées constitue une aventure pleine de promesses; le chaos peut être vaincu et le contrôle de nos vies, réalisable.

Nous autres les humains aspirons à l'ordre. Même que parfois, cela se produit. Puis ça se défait, repoussé hors de la vue par les dieux qui aiment voir les humains être toujours un peu en état de déséquilibre, toujours un peu créatifs, jamais stagnants.

Les experts parlent de la fin de l'Histoire. Si

jamais nous arrivons à ce que toutes les pièces de la maison soient propres au même moment, *ça* ce serait la fin de l'histoire.

24 JUIN

SARAÏ

Un des troubles que plusieurs d'entre nous éprouvons en regard de la Bible, c'est que les femmes y semblent tellement pleines de défauts. Par exemple, la pauvre Saraï qui, stérile, offre son esclave

Agar à son époux. «Peut-être peut-elle engendrer un enfant pour moi ?», dit-elle. Puis, submergée par sa propre nature compétitive et par l'orgueil soudain de Agar, elle devient si cruelle envers la mère porteuse que cette dernière est forcée de s'enfuir.

(Genèse 16:1-6) Nous pourrions interpréter cela comme étant une histoire écrite par des patriarches qui détestaient les femmes.

Malheureusement, l'image faite de l'homme dans cette histoire n'est guère plus reluisante.

Abram, l'époux, suggère à Saraï en colère qu'elle peut faire ce qu'elle veut avec la femme qui, après tout, porte son enfant.

Mais nous pouvons aussi rechercher la Saraï en nous-mêmes.

Cette histoire n'aurait pu durer toutes ces années si le comportement de Saraï n'avait pas parlé de ces moments où, nous-mêmes, nous sommes senties incapables de créativité ou de pouvoir, et où nous avons demandé à quelqu'un d'autre - nos époux, nos enfants, une politicienne, une star du cinéma que nous admirons - de porter ces éléments pour nous, d'être riches, célèbres, habiles ou parfaites à notre place.

Et quand ils ne peuvent être les saints que nous attendons, nous devenons amères. Il est facile d'imaginer

Marie, celle qui attend beaucoup, en nous. Mais quand nous y rencontrons la stérile et amère Saraï, elle peut finalement pleurer.

25 JUIN

LES DÉCISIONS

De bons amis pensaient à l'achat d'une vieille maison et ils n'arrivaient pas à décider ce qu'ils feraient.Plusieurs de leurs amis allèrent visiter la maison, à quelques reprises, examinant et réfléchissant.

Nous avons tous fini par en savoir pas mal au sujet de la maison; en fait, nous en sommes tous devenus amoureux, et de l'idée de les voir y habiter.

Nous commencions à imaginer des réceptions d'anniversaires dans cette maison, une visite à Noël, et des conversations autour d'un café dans la belle grande cuisine rustique...Ils parvinrent en fin de compte à prendre leur décision. Ils y ont emménagé il y a quelque temps, et ils aiment vraiment la maison. Elle leur va comme un gant.

«Ce que j'ai appris de tout cela,» annonce joyeusement mon amie, «c'est de toujours chercher conseil auprès de vos amis quand vous essayez de prendre une décision.» Il existe de

pires manières de faire des choix que de consulter quelqu'un qui nous connaît bien.

Ils ont eux-mêmes pris la décision, évidemment. Mais ils pouvaient aussi faire confiance au fait qu'ils étaient bien appréciés - assez pour que, eussent-ils été entraînés par une quelconque folie, ces compagnons aient laissé échapper de faibles murmures de désespoir. Nous avançons grâce à un peu d'aide de nos amis.

26 JUIN

LE PÈRE

Mon père adorait jardiner. Il est mort maintenant, mais il m'accompagne toujours quand je plante des cosmos, des capucines, et il me donne des conseils.

Je suppose que vous diriez que j'ai un fantôme. Ou un ange.

Une femme étrange, penserez-vous probablement. Pourquoi continue-t-elle à vivre avec quelqu'un qui a vécu dans le passé ?

Mais les femmes ont besoin d'un antidote à l'incapacité de notre culture de concevoir autre chose que le temps présent.

Le monde qui nous entoure a peu de loyauté envers le passé, et encore moins envers le futur. Ce n'est pas correct. Nous les femmes portons le futur en nous-mêmes.

Nous savons cela à un certain niveau. Nous savons qu'il y a une continuité entre les générations, passées et futures, derrière et devant.

Les Anciens autochtonesnous enseignent que nous sommes responsables pour sept généra-

tions. Alors dans le jardin, je parle à mon père.

Et mes arrière-arrière-petits-enfants aussi. Ils ne sont pas ici non plus, mais ça ne me dérange pas.

Je prends soin du sol, et je les rassure, je n'y mets pas de pesticides.Et ils en sont bien contents.

27 JUIN

LA DISCIPLINE INTÉRIEURE

Les femmes, en tant qu'espèce, sont soumises à la plus ferme des disciplines intérieures.

Une de mes amies, qui est une auteure talentueuse, trouve toujours difficile de s'asseoir, d'écrire et de lire (les deux vont ensemble) à cause de l'interdiction familiale de «perdre du temps» à l'époque de son enfance.

Les filles qui lisaient des livres perdaient leur temps alors qu'il y avait tellement toujours à faire. Maintenant, elle doit défier cette règle chaque fois qu'elle s'assoit pour écrire, et dire calmement à sa «police intérieure» (c'est sous cette forme que cet aspect de nous-mêmes surgit dans nos rêves) d'aller faire un tour ailleurs.

Méditer sur ce qui nous était interdit au cours de notre enfance peut souvent nous dévoiler ce qui agit aujourd'hui contre notre créativité. Nous pouvons ensuite dire à ce singulier officier de nous laisser.

28 JUIN

LES DÉESSES

L'analyste et auteur James Hillman affirme que le problème avec la chrétienté, c'est qu'elle n'a qu'un seul Dieu, une seule histoire, et que cela ne peut pas vraiment rendre compte de tout l'éventail des comportements humains.

«Ce que nous appelons l'inconscient sont les vieilles divinités qui reviennent, donnant l'assaut,» dit-il, «sautant par-dessus les murs de l'ego.» J'aime beaucoup ce qu'il dit, même si je reste en toute sécurité à l'intérieur des murs de ma foi. Et la chrétienté commence à découvrir ses autres histoires.

À la place d'une histoire de souffrance, de mort et de résurrection, nous trouvons maintenant des histoires d'exil et d'exode, de naissance et de survie.

Nous découvrons qu'il y a davantage que Yahvé, il y a une femme-Déesse, une Mère-Dieu, qui nous donne naissance et nous rassemble près d'elle. Certaines d'entre nous apercevons Ève et voyons, non pas le péché, mais le courage de grandir.

29 JUIN

L'IDENTITÉ

Certaines façons d'être femme sont le fait d'apprentissages. Nous ne prêtons pas attention, à nos risques et péril, au potentiel de l'observation

méticuleuse que nos filles font de nous. Une histoire au sujet de notre plus jeune, née alors que j'étais déjà bien engagée dans mon travail d'auteure.

Elle était peut-être âgée de un an et demi - à ce charmant stade pré-verbal où les enfants babillent constamment en usant de syllabes richement modulées mais qui ne font pas de sens.

Chaque jour, elle passait une bonne partie de son temps «à parler» dans son petit téléphone en plastique rouge.

Un jour, curieuse, je me suis assise et j'ai écouté. Toutes ses séquences de sons déformés se terminaient par une note interrogative, suivie d'un bref murmure affirmatif.

Son téléphone était coincé contre son épaule droite et elle traçait de rapides coups de crayon sur un morceau de papier pendant qu'elle marmonnait.

Elle était en train de faire une entrevue avec quelqu'un. Elle ne pouvait pas encore parler, mais elle faisait ce que maman avait fait.

Nous les mères avons besoin d'être conscientes de nous-mêmes.

Les manières que nous affichons, les choses que nous faisons, sont conservées dans une boîte (au côté d'autres choses venant d'autres personnes bien-aimées) dans les âmes de nos filles.

Chaque jour, elles en retirent et en choisissent des morceaux au fur et à mesure qu'elles décident qui elles seront.

LA PRIÈRE

Dieu bienveillant, je demande aujourd'hui des yeux pour voir la beauté dans l'âme de ta création. Je demande aujourd'hui la force de supporter la souffrance quand elle s'y fait profonde. Je demande aujourd'hui le courage de faire face au cœur de son combat.

Je demande aujourd'hui les oreilles pour entendre sa musique qui chante ton amour. Certainement aujourd'hui il y aura un ange, Certainement aujourd'hui tu partageras le pain avec moi, comme chaque jour. Amen

JUILLET

1ER JUILLET

LA SANTÉ DE GAÏA

Il y a plusieurs façons de surveiller l'état de santé de la planète. On peut regarder les nouvelles à la télévision.On peut aller à l'extérieur, faire un peu de jardinage et observer les oiseaux.. On peut marcher le long d'un cours d'eau, écouter les huards et nourrir les canards.

On peut aussi se rendre en canot dans un marécage et compter le nombre de grenouilles qui s'y trouvent.Les plus importantes nouvelles ne sont pas toujours celles qu'on entend à la télévision.

2 JUILLET

AU SUJET DES ROSES

Je garde des roses sur la table à titre d'antidote. Je laisse davantage venir les mots maintenant. Je leur dis ce que je pense au sujet de la forêt, et ce qu'ils y font. Et à un moment donné vous savez (quand les enfants auront grandi), j'irai m'étendre devant les camions.

Sans être tachée de sang lorsqu'ils me passeront dessus parce que je suis immunisée. J'ai des roses.

3 JUILLET

LES GRAND-MÈRES

La mère de mon père a émigré de l'Angleterre. Elle avait de longs cheveux noirs et vivait seule dans une petite maison, munie d'une grande véranda, située dans une ville minière. Lorsque je vivais avec ma grand-mère, elle faisait des pommes de terre frites dans une grande quantité d'huile chaude dangereuse.

Elle fabriquait des cerfs-volants, des fleurs de papier et jouait le piano par oreille. Les matins, j'allais la retrouver dans son lit, nous buvions du thé avec beaucoup de lait et nous parlions.

Je brossais ses longs cheveux.Grâce à elle j'ai appris que les grand-mères sont belles et jeunes (aux yeux d'une petite-fille) et qu'elles aiment inconditionnellement leurs petits-enfants. Ils passaient du temps avec leurs petits-enfants et imposaient rarement des règles, bien qu'ils pouvaient offrir de sages conseils.

Elles avaient vécu plus longtemps que le reste d'entre nous, dans de plus nombreux endroits, et avaient une vision plus large des choses. Quelques-unes d'entre elles se rappellent comment c'était avant la télévision.

Plusieurs d'entre nous serons grand-mères. Nous devons acquérir de la sagesse en prévision de ces jours-là.

4 JUILLET

LES PETITS PAINS AU LAIT

Ma grand-mère faisait des petits pains aussi bien qu'elle confectionnait des cerfs-volants. C'était sa recette préférée. Toute occasion de vous rapprocher d'une personne âgée du «vieux pays» peut grandement profiter de ces petits pains anglais, servis chauds avec du beurre et de la confiture ou du miel.

2 tasses (180 g) de farine
3 cuillères à thé (15 g) de poudre à pâte
2 cuillère à thé généreuse
(5 g) de bicarbonate de soude
2 cuillère à thé
(3 g) de sel6 cuillères à table combles
(180 g) de sucre 32 cuillères à table
(50 g) de graisse végétale 1 œuf1 tasse
(227 g) de raisins secs: tasse
(150 g) de babeurre1 cuillère à thé
(5 ml) d'essence de citron

Mélangez ensemble les ingrédients secs.

Mettez-y la graisse végétale comme vous le feriez pour de la pâtisserie.

Ajoutez les raisins secs.Ajoutez l'œuf et le lait bien battu. Mélangez bien le tout.

Étendez la pâte en forme d'un cercle sur une tôle à biscuit en maintenant une épaisseur de

2 pouce (1.25 cm), puis coupez en 8 pointes.

Faites cuire au four à 450 °F (230 °C) pendant 10 minutes.

5 JUILLET

LA MORT

Faire un rêve au sujet d'une personne qui meurt ne signifie pas toujours que c'est ce qui va se produire.

Quand un rêve veut indiquer une mort réelle, il se fait plus subtil. (Ce n'est cependant pas une mauvaise idée de jeter un œil sur leur projet de voyage, juste au cas.)

Ainsi le rêve de la mort d'un parent pourrait signifier qu'une certaine qualité parentale est en train de faire de la place pour quelque chose d'autre, peut-être quelque chose qui convient maintenant mieux à notre personnalité qui a gagné en maturité. Le rêve de la mort de toute personne devrait susciter deux questions :

«Quelles sont les attributs que je reconnais à cette personne ?» et «Ces attributs sont-ils en train de disparaître en moi ?

»Les femmes vivent tellement en tenant compte des attentes des autres que, lorsque nous cessons de le faire et que nous commençons à vivre selon nos propres principes, cela représente une

sorte de mort. Mais une mort nécessaire. Dans notre vie intérieure, comme dans le monde extérieur, rien ne vit éternellement.

Certaines choses doivent être abandonnées si nous voulons croître.

6 JUILLET

LES DISCUSSIONS À TABLE

Il y a quelque chose dans le fait de s'asseoir autour d'une table qui incite à la franche discussion. En particulier la table du déjeuner. Peut-être qu'il y a quelque chose dans le fait de porter des pyjamas qui empêche l'orgueil et les réflexes défensifs de nuire à la conversation.

Une fois, un petit groupe de jeunes femmes sont arrivées pour coucher à la maison après une soirée. Elles avaient bu quelque chose de plus fort que des boissons gazeuses. Au matin, j'ai préparé des biscuits, leurs préférés, et je les ai appelées pour déjeuner.

«Je ne vous dénoncerai pas», leur dis-je (en évitant de regarder ma propre fille). «Mais je ne mentirai pas à vos parents non plus. Je n'aime pas cela. S'il vous plaît, ne faites pas de cette maison l'endroit où vous allez vous rabattre après une soirée bien arrosée d'alcool.

»Nous avons mangé les biscuits garnis de marmelade ou de confiture de fraises, avons bu du jus d'orange, avons parlé des soirées de mon époque et des soirées de la leur, et de ce qu'est la vie pour les jeunes femmes d'aujourd'hui. Il y a beaucoup plus d'alcool maintenant, ai-je laissé entendre, et plus de drogues. Les enjeux sont plus élevés concernant les relations sexuelles non protégées - allant du risque d'une grossesse non désirée à celui d'une sentence de mort.

C'est très difficile d'être une jeune femme aujourd'hui. «Nous nous surveillons mutuellement», dit fièrement l'une d'entre elles.

Il y eut des murmures d'approbation tout autour de la table; plus de commentaires, de questions, des comparaisons entre le passé et le présent.

Elles échangèrent pendant un long moment pendant le déjeuner, et j'écoutais. Il y en aura d'autres soirées, je ne me fais pas d'illusion là-dessus.

Mais je suis aussi rassurée. Nous sommes toutes des femmes fortes, qui font attention l'une à l'autre, ensemble. Des biscuits chauds et un cœur ouvert donnent lieu aux plus fines conversations.

7 JUILLET

UNE RECETTE DE BISCUITS

2 tasses (180 g) de farine
3 cuillères à thé (18 g) de poudre à pâte
1 cuillère à thé (6 g) de sel
3 tasse (50 g) de graisse végétale
3/4 tasse (187 ml) de lait

Mélangez les ingrédients secs dans un bol.

Mettez-y la graisse végétale avec une fourchette jusqu'à consistance friable.

Ajoutez-y le lait en brassant.

Versez le tout sur un comptoir ou une planche couverts de farine, formez avec les mains cou-

vertes de farine un pâté rond d'environ 1 pouce (2.5 cm) d'épaisseur. Coupez en 8 pointes et placez-les sur une tôle de cuisson non graissée. Saupoudrez de graines de pavot ou de sésame.

Faites cuire à 450 °F (230 °C) pendant 10 minutes.

Servez immédiatement.

Vous pouvez confectionner ces biscuits avec de la farine de blé entier, mais ils perdront la légèreté qui fait leur popularité.

Moitié de farine de blé entier et moitié de farine tout usage constitue un bon compromis. La farine non blanchie est évidemment correcte; et le babeurre, si vous en avez, rend ces biscuits incroyablement légers.

La recette se double sans problème. Toutefois il ne faut pas trop manipuler la pâte.

8 JUILLET

LA PEUR

Tout le monde a peur. Nous refoulons notre peur, nous la cachons, nous trouvons des façons de vivre avec elle; mais nous avons toutes peur depuis ce moment de notre enfance où nous nous sommes rendues compte que nos poissons rouges, notre grand-père ou nos parents pouvaient mourir.

Cette peur sert à certaines choses.

Elle nous stimule à rechercher un sens à la vie.

Plus tard, à l'âge de l'adolescence, nous prétendons que la vie durera toujours et nous arrivons presque à nous y convaincre.

Mais en-dessous, un chuchotement se fait entendre. «Qu'es-tu venue faire ici ?

Quel chant entonneras-tu avant de mourir ?»

Nous apprenons ainsi notre propre chanson à nous.

Nous apprenons à vivre seules et en relation avec d'autres.

Nous apprenons à nous réjouir d'être vivantes, en ce siècle étrange, en cette époque qui est, comme toutes les autres avant, à la fois cruelle et charmante et pas du tout comme celles des temps anciens.

Quand notre chanson devient claire, nous voyons bien que nous avons chanté au long en dépit de notre peur.

9 JUILLET

LE LOISIR

Il arrive parfois, après une longue période de travail, qu'il soit impossible de considérer l'idée de s'accorder du temps libre.

C'est comme si mon corps avait oublié la manière de se relever du bureau et comme si mon mental ne concevait plus d'autre façon de s'occuper.

C'est pour cela que les humains ont besoin de passions - une personne aimée, un jardin qui nous réclame, le ski, les histoires de meurtres-mystères, la bicyclette - quelque chose ou quelqu'un assez puissant pour nous faire quitter une habitude. Si une telle passion n'existe pas en vous, il est nécessaire d'en inventer une.

10 JUILLET

LE SILENCE

La plupart d'entre nous savons que le silence est nécessaire à la guérison de notre âme. Au chalet, nous mettons de côté l'électricité et nous vivons sans autre bruit que celui de nos voix, du vent, du grésillement des grillades de lard sur le feu du matin (on se gave avec plaisir d'un régime élevé en matières grasses, je ne vois pas pourquoi), de l'éclaboussement de l'eau quand nous y plongeons, endormis, pour une baignade avant le déjeuner.

Des sons infimes en comparaison avec le tapage de la civilisation. Oh je ne suis pas celle qui quitterait la civilisation.

J'aime les bains chauds et le cinéma, les musées et les avions... Mais le silence guérit. Nous pouvons y entendre l'Esprit.

11 JUILLET

L'OMBRE

Je me réveille toujours immédiatement (disons, le matin suivant) quand je fais des rêves où je vais au cinéma.

Il s'agit habituellement d'un vieux cinéma, avec un ancien projecteur du genre que vous pouvez entendre ronronner tout au long du film/rêve.

C'est un des moyens les moins subtils que mes rêves choisissent pour m'informer que je projette du matériel de mon inconscient sur une autre personne. Oups! que je dis. Encore!Comme tout le monde sur la planète, j'ai enterré des parties de moi-même désapprouvées par mes parents et plus tard, par mes pairs, mon église ou ma culture.

Ces parties vivent à l'intérieur de mon ombre, en dehors de ma vie consciente. Je ne les connais pas. Mais les rêves m'en parlent. Ainsi le matin suivant un rêve de «projection», je me demande :

«Envers qui est-ce que je ressens des sentiments particulièrement forts ces jours-ci, qui m'irrite, qui me rend confuse ?» Le nom d'une femme bruyante fait surface. Je m'interroge : «Comment est-ce moi-même ?» Puis je recule dans le temps : une conversation a lieu dans la cour d'école, il y a longtemps, et une de mes amies me dit que je ris trop fort et que je parle trop.

Et je vois soudainement comment la liberté de parole - mon moi tapageur - est fatiguée d'être mise en veilleuse et veut sortir en plein jour.

Alors le jour qui suit ce rêve, je dis exactement ce que je pense. Quand nous laissons notre ombre vivre un peu, nous avons plus d'énergie. Et nous sommes plus intègres.

12 JUILLET

L'INCARNATION

Nous sommes à la recherche de Dieu. C'est ce que font les êtres humains. Les évangélistes de la télévision trouvent Dieu facilement. Mais puisque leur vision de la présence de Dieu est souvent

imprégnée d'une extravagante exclusivité - Dieu semble être un homme blanc hétérosexuel, bien nanti et chrétien je ne leur fais pas confiance.

Mais Dieu apparaît vraiment. La semaine dernière, dans ma communauté, quelqu'un est mort. Il avait eu recours à la banque de nourriture à un moment et il avait travaillé à la nôtre.

Il était bien connu dans le groupe de personnes qui se réunit chaque jeudi pour le programme d'aide alimentaire.

Un magasin local de beignets envoient les surplus (je les soupçonne même d'en faire une plus grande cuisson la veille, le mercredi soir), alors c'est une place où l'on peut manger et faire une petite visite.

Il a été convenu de faire ses funérailles un jeudi matin dans le gymnase qui lui était familier plutôt qu'au sanctuaire, ce qui serait étranger à la plupart.

Parce que la majorité des gens de ce groupe n'ont pas l'argent pour pouvoir porter des complets, il a été décidé que les célébrants ne porteraient pas leurs vêtements cérémoniels.

Certains parmi cette assemblée du jeudi confectionnèrent des sandwiches au thon et aux œufs qui avaient été ramassés pour la banque alimentaire.

Je suis assurée que Dieu était présent au moment où l'on distribuait ces sandwiches au thon et aux œufs, et que le pain était sanctifié.

Aussi certainement que lors de n'importe quelle cérémonie de communion dans n'importe quel sanctuaire. Nous trouvons Dieu dans notre entourage, partageant le pain.

13 JUILLET

L'ÉCRITURE

De toutes les créatures de Dieu, nous sommes les seuls à avoir développé toute une histoire pour expliquer comment nous avons volé la connaissance du feu aux dieux.

Nous sommes ces créatures qui ont mangé la pomme et ensuite - dans un langage qui faisait du sens - qui ont expliqué comment nous avons payé le prix de cette science en étant expulsés pour toujours du Royaume de l'innocence.Écrire des mots est une discipline spirituelle dont seuls les êtres humains ont reçu le don.

Mettre en mots un rêve aux heures froides du matin, imaginer les mots que prononceraient les créatures oniriques. Se confier à un journal intime ou dans une lettre à une amie.

Composer des chansons. Dieu vit là où vivent les mots, quand nous écrivons nous y retrouvons Dieu et adoucissons la terrible solitude de Dieu. Le Mot s'est fait chair et habite parmi nous.

14 JUILLET

L'IRRITATION

Les gens que nous aimons ont cette habitude de nous mettre hors de nous-mêmes. Quand nous connaissons très bien une personne - parce que nous lui sommes liées par le mariage ou par le sang - tous leurs défauts prennent une grande envergure d'une manière bien particulière. Et nous ne sommes pas parfaites à leurs yeux non plus.

C'est précisément, toutefois, parce que nous les aimons que nous devenons irritées. Nous nous attendons à ce que nos partenaireset nos parents nous rendent heureuses. Particulièrement nos époux.

Consumées par les flammes de l'amour romantique du début, nous avons projeté des qualités surhumaines en eux. Avec le mariage, nous percevons la réalité. Ils sont aussi faibles et humains que nous-mêmes et ils ne peuvent pas créer notre bonheur à notre place.

Nous sommes aussi bien d'admettre leur humanité, de reconnaître leurs lacunes (pour nous-mêmes) et de continuer à maintenir la relation amicale comme la relation amoureuse. Et le bonheur lui-même pourrait bien s'y glisser alors que nousn'y faisons pas attention.

15 JUILLET

LE DUALISME

Quelque part en cours de route, la notion de perfectionnisme a fait son apparition dans l'univers, l'idée selon laquelle il est possible d'être complètement bon, complètement pur.

Il s'agit d'une idée très dommageable, particulièrement pour les femmes qui sont à la recherche d'une quelconque vérité spirituelle.

Parce que plus nous tentons d'être complètement bonnes, plus importantes deviendront les parties en nous que nous aurons étouffées pour

paraître ainsi. Sous la surface, une petite voix se fait entendre «laisse-moi sortir, je veeeuuuux...» et plus elle est réprimée longtemps, plus elle devient terrible.

Il est dans la nature des êtres humains d'être bon *et* mauvais, les deux étant emballés dans un seul corps.

Nous n'avons pas à agir sur le coup de nos impulsions malsaines. Nous avons seulement à être affectueuses envers nous-mêmes et envers elles.

16 JUILLET

LE CORPS

Qui d'entre nous pourrait de fait aimer le corps dans lequel elle vit ? Quand le perfectionnisme se fait pressant, nous le blâmons pour ne pas être parfaites.

Quand nous sommes remplies d'une colère retournée vers l'intérieur, nous gavons notre corps pour nous protéger du vide de la dépression.

Quand nous sommes comblées de joies, nous célébrons, et avec raison,autour d'un banquet.

Ensuite, nous nous sentons coupables. Nous avons besoin de cesser de nous faire des reproches.

On nous a enseignées pendant des milliers d'années à ne pas aimer nos corps, depuis les textes de purification rencontrés dans les Écritures, jusqu'à la conception des Grecs à l'effet que le corps est séparé de l'esprit et lui est inférieur.

Mais nous en connaissons davantage aujourd'hui.

Nous savons que le corps et l'esprit interagissent et que l'un possède autant de valeur et est autant spirituel que l'autre. Dieu n'attend pas à plus tard pour nous aimer, quand nous serons devenues, comme certains le pensent, de purs esprits. Dieu nous aime revêtues de notre chair miraculeuse.

Nous devons nous réjouir de ce corps. C'est le seul que nous aurons jamais.

17 JUILLET

L'ÉQUILIBRE

En hiver, quand j'ai beaucoup écrit, ou parlé - du travail de tête - je me force, à moitié zombie, à me rendre chez le marchand de peinture.

Je choisis des couleurs, regarde les papiers peints, admire les motifs, visualise de quoi auraient l'air les choses.

En été, je vais dehors et je creuse comme une forcenée. Une vie vécue trop longuement dans la tête recherche une sorte de compensation.

18 JUILLET

LA COMMUNAUTÉ

Les communautés sont des cercles de personnes.

Parfois, quand nous croisons les mêmes gens au travail, à la réunion des parents de l'école, sur les pentes de ski aussi, ces cercles se superposent.

Un de mes rassemblements préférés est celui de gens qui se rencontrent, une seule fois par année, autour d'un souper à la dinde; une grande activité de levée de fonds qui implique plus de huit cents personnes si l'on inclut celles qui sont nourries.

Les deux bras dans l'eau de vaisselle graisseuse, je peux voir le sens de la vie : des gens qui parlent les uns avec les autres, qui racontent des blagues quand ils deviennent fatigués, qui s'entraident, qui prennent soin les uns des autres. La somme d'argent recueillie est importante.

Mais le plus valable des aspects de l'activité est celui de créer une communauté où cela n'a pas d'importance ce que vous gagnez, comment vous vous habillez, le parti pour lequel vous votez. D'une manière ou d'une autre, vous travaillez et vous vous amusez simplement ensemble.

19 JUILLET

VIRIDITAS

Les fleurs annuelles représentent plus de travail pour une jardinière. Vous devez les partir à l'avance et vous affairez au-dessus des semis.

Toutefois en été, vous plantez à l'extérieur toutes ces jeunes plantes. Et elles restent là, dans toute leur innocence, jusqu'au jour où vous avez le dos tourné et qu'elles éclatent en une fleur complexe et que les passants s'arrêtent et vous demandent ce qu'est cette fleur à la texture soyeuse (Lavatère «*Silver Cup*») et si ces énormes marguerites jaunes sont des tournesols (Rudbeckie «*Indian Summer*»). C'est ce que la grande

mystique Hildegarde de Bingen a appelé *viriditas*, le pouvoir vert. Elle a inventé le mot. C'est le même pouvoir que Dylan Thomas décrit comme étant «la force par laquelle, à travers le bouton vert, perce la fleur», et le même pouvoir que celui de l'Esprit saint, la force créatrice qui meut l'univers.

Pendant une grosse averse, je reste debout devant une des fenêtres du deuxième étage et je regarde dehors. Je peux voir l'Esprit passer parmi les Gloires du matin qui grimpent autour du lampadaire; le haut agérate *«Blue Horizon»*; le gris feuillage poussiéreux des pavots *«California»* avec leurs pétales soyeux et lumineux repliés mais remplis, comme moi, de *viriditas*. Les jardins regroupent les gens grâce à leur pouvoir vert.

20 JUILLET

LA FEMME DE LOT

Il est difficile de plaider pour la défense de Dieu. Le comportement de Dieu dans la Bible est assez dur pour vous faire vous ennuyer des anciens dieux. Dieu est implacable à l'endroit de Sodome, y faisant pleuvoir du souffre jusqu'à ce qu'elle ne soit devenue que cendres fumantes.

Et la femme de Lot, qui tint compte de l'avertissement de quitter la ville mais qui oublia de respecter l'injonction de ne pas regarder en arrière, est traitée de la plus injuste façon. Elle se retourne pour un dernier coup d'œil à ce qu'elle perdait dans ce massacre et fut transformée en statue de sel.Ça arrive. La femme de Lot fait partie de nous.

C'est pourquoi cette histoire est si bouleversante. Aux prises avec l'injustice inhérente et dévastatrice de la vie, aux prises avec le divorce, les pertes, le deuil, la douleur, nous regardons en arrière et nous sommes paralysées par nos propres larmes salées.

Cette histoire nous raconte seulement la vérité - de la manière dont s'y prennent les cauchemars, c'est-à-dire aussi radicalement que possible : «Va, continue, le monde est charmant et cruel et on ne raisonne pas avec lui!» Les lamentations servent à quelque chose. Le regret nous transforme en sel.

21 JUILLET

LES RÊVES

Une chose formidable se produit quand vous rencontrez des gens en qui vous pouvez avoir confiance en rapport avec vos rêves : vous pouvez commencer à voir votre propre inconscient.De la même manière que nous ne pouvons regarder notre propre dos sans l'aide d'un miroir, il est difficile de voir notre inconscient sans que d'autres ne nous le reflètent. Ils peuvent le faire en nous suggérant leurs propres associations entre les symboles du rêve.

Cela nous offre un plus grand choix, nous révèle des symboles que nous ne voyons peut-être pas. Et parfois, le fait qu'une amie soit là nous donne le courage d'aller plus loin dans l'étude du rêve. La connaissance qui serait trop lourde pour nous seules peut être envisagée si nous sommes accompagnées par des amies.

ET SI ?

Deux mots importants, «et si». Ils nous ouvrent l'esprit et nous permettent de penser à de nouvelles façons de voir le futur en examinant le passé.

Il m'arrive d'imaginer ce que ça aurait pu être si mes ancêtres, ceux qui ont commencé à arriver par bateau en provenance de la France, de l'Angleterre et de l'Écosse il y a des centaines d'années, avaient été de bons hôtes.

Et si, au lieu d'insister sur le fait que leurs coutumes étaient les meilleures, ils avaient respecté les règles de la demeure qui leur offrait l'hospitalité ?

Et s'ils avaient adopté le potlatch ? Peut-être vivrions-nous dans un pays où il serait important de partager autant que nous sommes en mesure de le faire.

Et s'ils avaient appris - tels les Innus qui rendent hommage aux Maîtres Caribou quand ils en abattent un - à être reconnaissants pour les cadeaux de Terre Mère ?

Peut-être ne serions-nous pas en train de nous demander si la pollution de l'eau est dommageable pour nos corps.

Et s'ils avaient démontré du respect envers la tente des tremblements ?

Peut-être ne prendrions-nous pas une importante décision, une décision qui affecte toute la communauté, sans consulter nos guides spirituels.

HOMMES ET FEMMES

Il s'agit uniquement d'un encadrement. C'est seulement que ça fonctionne si bien - cette idée de Carl Jung selon laquelle chaque homme possède un aspect féminin et chaque femme, un aspect masculin.

Au moment même où il présentait et expliquait son idée de «contre-sexualité», le monde vivait déjà un changement.

Cette théorie est maintenant trouée de toutes parts.

Nos notions au sujet de ce qui est «féminin» et de ce qui est «masculin» et de la mesure du facteur biologique de ces aspects ont subi plusieurs virages qui auraient étourdi les sensibilités victoriennes de Jung. Pourtant, je tiens à cette architecture de l'âme.

Elle représente un cadre plus solide que plusieurs autres; elle m'explique aussi ces moments où je comprends soudainement ce que les hommes essaient de dire ou de faire, où je le ressens quelque part en moi-même.

Il serait difficile de se comprendre mutuellement, ne serait-ce qu'un peu, s'il n'y avait ce petit îlot de l'autre en nous-mêmes qui nous indique comment nous nous ressemblons.

L'OMBRE

Des choses différentes composent les ombres des hommes et des femmes. C'est une des raisons pour lesquelles les vêtements qui confondent les sexes sont si intéressants.

C'est comme une tentative inconsciente de réduire ces différences.Pour les femmes, il est important de connaître ce qui constitue l'ombre masculine autant que la nôtre. Puisque l'ombre est cette partie d'eux-mêmes que les hommes enfouissent et maintiennent cachée, elle est souvent terriblement déformée et se voit projetée sur nous dans cet état.

Ainsi la douceur masculine, les larmes des hommes, toutes leurs tendres émotions sont refoulées en eux comme des faiblesses. Et lorsqu'une femme se lève pour prendre la parole - disons, les yeux pleins de larmes lors d'un moment émouvant - les hommes y voient, par projection, de la faiblesse au lieu de percevoir la force que ces larmes peuvent représenter.

Pour la même raison, certains hommes d'affaires endurcis en ont beaucoup contre les «cœurs sensibles», parce qu'ils leur font prendre contact avec la compassion qu'ils ont enfermées loin de leurs propres cœurs, et qu'ils craignent aussi profondément.

Les difficultés dans les relations ne commencent et ne finissent pas toujours avec nous.

Notre situation dans une relation avec un homme est peut-être périphérique; il est en fait en relation avec sa propre ombre.

LE TEMPS

C'est une bonne idée que de rechercher les moments qui ont marqué notre vie. Ils peuvent parfois être difficiles à découvrir à cause de la souffrance à laquelle ils sont peut-être reliés. Les nations ont aussi des moments déterminants.

Nous savons tous que les États-Unis ont changé lorsque Kennedy fut assassiné, que le Canada a changé quand des barricades furent érigées à Oka.

Ce n'est pas tant la réalité elle-même qui change dans ces moments-là. La réalité a toujours été là.

Mais nous avons été forcés, comme peuples, de la voir plus clairement qu'auparavant. Il est important de nommer les événements marquants de nos vies personnelles, lorsque l'emprise sur ce que nous avons cru réel se relâche et disparaît.

La mort ou le divorce nous enlève une personne profondément aimée. Un livre ou une conversation engendre une idée beaucoup appréciée. Un enfant accepte des valeurs différentes des nôtres et les images que nous avons de nous-mêmes en tant que mères en absorbent un coup qui modifie notre univers personnel.

Ces moments nous amènent à réécrire nos histoires personnelles. Nous pouvons revoir ces moments plus tard et regarder comment ils ont changé le reste de notre histoire.

Peut-être notre histoire a-t-elle besoin d'une nouvelle version. Les mythes personnels sont nécessaires mais ils ne sont pas sacro-saints.

26 JUILLET

LA COMMUNAUTÉ

Notre fils cadet a fait partie de l'équipe nationale de triathlon. Cela avait voulu dire qu'il avait soudainement besoin de 5 000 $ pour le billet d'avion vers la Nouvelle-Zélande et pour le séjour d'un mois au camp d'entraînement qui précédait l'événement.Le premier don qu'il a reçu, après la parution d'un court article sur lui dans le journal, vint de la section locale de l'Ordre indépendant des Filles de l'Empire (*IODE*). Il est à peu près sûr de parier que la plupart de ses membres n'avaient pas, jusqu'ici, été sérieusement impliquées dans les triathlons.

Mais il s'agissait d'un enfant de cette ville, de cette communauté. La contribution de cet organisation avait été déposée dans notre boîte aux lettres, tard cette soirée-là.

D'autres chèques et activités de financement suivirent. Il put aller en Nouvelle-Zélande. Un enfant de Dieu et de l'*IODE*.Tout le monde a besoin de grand-mères supplémentaires. Une communauté est le meilleur présent que vous pouvez donner à un enfant.

27 JUILLET

LA RECHERCHE DE DIEU

Je sais que Dieu me cherche quand je me réveille nuit après nuit après le même rêve qui échauffe mon esprit. Je pourrais ignorer l'appel.

Mais voyez où cela a entraîné Jonas. (Dans le ventre d'une baleine, au cas où vous n'auriez pas fréquenté les leçons de catéchèse dernièrement.)

Alors je balance mes jambes au-dehors du lit, cherche les yeux fermés à atteindre ma plume et mon papier gardés à portée de la main, puis j'écris le rêve. (Au loin, sur le lac, j'entends un éclaboussement d'eau. La baleine est en train de nager quelque part.)Au matin, je lis mon gribouillis de la nuit et je réfléchis là-dessus. Dieu veut surtout me faire remarquer quelque chose en moi-même, il veut que je sois un peu plus brave, plus sage ou plus forte.

Ça me rend cependant un peu nerveuse. Un sage et brave homme nommé Bonhœffer disait que Dieu nous donne toujours la force dont nous avons besoin, mais jamais trop à l'avance. Qu'est-ce que Dieu peut-il bien avoir en tête ? La surdité sélective n'est pas recommandable avec Dieu.

28 JUILLET

L'ESPOIR

Seulement un bref article dans le journal, mais je pouvais entendre les paroles d'Eliot me passer à travers le corps, «Avril est le mois le plus cruel».

Le printemps est cruel après l'hiver, l'espoir est cruel après un long et froid déni de notre souffrance.

C'était au sujet d'une cure pour la maladie intraitable qui a détruit la vue de mon frère et de ma mère. Un long, très long chemin encore à parcourir et une ténue, mais tout même une parcelle d'espoir. L'espoir nous permet de ressentir; et

ainsi j'ai ressenti le chagrin, que j'avais repoussé, à voir deux êtres que j'aimais tendrement avancer vers l'obscurité. Je surveillais la douleur de l'un et de l'autre, un lac d'angoisse retenu derrière un barrage, ou gelé de part en part, chaque jour pour arriver à aller au travail et à l'école, à préparer les repas et à faire la lessive, à rire et à discuter, et à aimer la vie.

À moins que nous ne soyons très braves, nous recourons à ce déni à chaque fois que nous-mêmes ou une personne que nous aimons est aux prises avec la souffrance.

Mais la maturité peut apporter du courage. Nous pouvons apprendre à vivre à nouveau avec espoir.Chaque sentiment gelé, si nous avons bonne fortune, fondra un jour et se transformera en larmes.

29 JUILLET

LE CONFLIT

Quand nous sommes en conflit avec quelqu'un, et que nous voulons en finir, une rencontre seule est la première et meilleure chose à tenter.

C'est dans une rencontre d'une à une - sans avoir besoin de sauver la face aux yeux d'autres gens - qu'un conflit possède ses plus grandes chances de résolution.

30 JUILLET

ÉCRIRE

Quand je suis au beau milieu d'un gros projet de travail, je me réveille pendant la nuit toute en effervescence. Je ponds des idées, pures et claires, à quatre heures du matin.

C'est pour cela que nous écrivons. Pour l'excitation qui augmente en spirale au cours de la nuit, pour l'intuition claire et soudaine de la structure d'une histoire, lorsque les mots commencent à couler comme une rivière au printemps.

Il existe un moment, très rare, où vous savez ce que ça veut dire que d'être en vie, où chaque petite cellule du cerveau se fait toute sautillante en disant «oui».C'est pour cela que nous écrivons.

31 JUILLET

LA RAGE

L'une des choses les plus utiles que j'ai apprises pendant que j'enseignais a été le pouvoir de la surprise.

Quoi que ce soit que vous fassiez qui sortait de l'ordinaire restait gravé dans l'esprit des étudiants.

Par exemple, se fâcher. Mon style d'enseignement est collégial; je l'espère en douceur, respectueux des êtres humains qui se trouvent devant moi.

Mais à peu près une fois par année, quand mes étudiants n'étaient pas autant appliqués au travail que je pensais qu'ils devaient l'être, je permettais à un quelconque incident de provoquer l'occasion d'une bonne colère (envers tout le monde, jamais envers un individu en particulier).

Mon va-et-vient en classe, animé par une rage vertueuse, créait un tel choc que cela fonctionnait.

Je pense qu'une telle fulmination demeure une option une fois au cours d'un long laps de temps. Si une relation ne s'en trouve pas abîmée à cause d'elle, et si un groupea besoin d'entendre quelque chose qu'il n'entend pas.

Mais seulement si le besoin en est désespéré. Son pouvoir entier réside en ce qu'il ne témoigne pas d'un trait de caractère. Un tel emportement de colère, s'il se répète deux fois, devient ennuyant.

AOÛT

1ER AOÛT

LES ARBRES

Je vis dans l'ombre d'un immense érable planté devant la fenêtre. Cet arbre me rend heureuse. Durant l'été, il rafraîchit le côté sud de la maison, tel un parasol vivant animé par les mésanges et les moineaux.

En automne, je jubile à la vue de sa flamboyante couleur rouge. Il s'avance vers l'hiver avec le genre de passion à laquelle j'aspire, en se consumant dans un éclat d'une telle splendeur.

En retour, je ne lui fais aucun mal. Aucun pesticide dans le jardin à ses pieds. Aucun pavage ne prive ses racines.

Et lorsque ses branches dénudées me réveillent, en se frottant à la fenêtre lors des nuits venteuses d'hiver, je prie pour sa sécurité comme je le ferais pour n'importe quel ami. Quand j'étais une enfant, je parlais aux arbres.

Mes tantes inquiètes disaient à ma mère que j'avais besoin de petits compagnons de jeu. J'avais tous les amis dont j'avais besoin, merci, et maintenant je parle à nouveau aux arbres. «Devenez semblables aux petits enfants», disait Jésus. J'y travaille.

2 AOÛT

L'IMAGINATION

Si nous n'arrivons pas à imaginer un monde où la couche d'ozone serait intacte, comment pourrions-nous de manière réaliste mettre les choses en branle pour y parvenir ?

Si nous ne pouvons pas imaginer un monde sans banques alimentaires, comment pourrions-nous le bâtir ?

Si nous ne pouvons même pas concevoir un monde où nos filles pourraient marcher sans peur dans les rues la nuit, comment allons-nous le créer ?

Il y a des images de ce monde qui sont décrites dans les écritures.C'est pourquoi je vais à l'église. De manière diffuse, à quelque part dans notre mémoire collective à toutes et tous, il existe une image d'un monde dans lequel les vaniteux

sont disséminés et les affamés, comblés de bonnes choses. On en parle parfois. Et il libère mon imagination.

3 AOÛT

LE VENT

Dieu apparaît dans les rêves sous la forme du vent. Je deviens rigide, mes journées trop remplies des devoirs que je m'impose à moi-même. La nuit, mes rêves sont hantés par le vent qui frappe à la fenêtre et tente de la fracasser. Je rêve de hauts édifices à logements, trop élevés, telle la Tour de Babel.

Qui suis-je pour penser que je vais aller au ciel grâce à l'acharnement au travail ? Bientôt je parlerai en langues.

Le vent secoue les bâtiments. Dieu m'appelle. Je vais aller m'étendre quelques moments dans l'herbe et observer les marguerites bercées par le vent.

Quand le vent de Dieu s'élève, il est préférable de trouver un endroit où il peut souffler dans nos cheveux.

4 AOÛT

CHERCHER DIEU

Les moines celtes saint Columba, saint Aidan et les autres qui ont traversé la mer vers l'Europe à bord de leurs petits canots ne l'ont pas fait parce qu'ils voulaient quitter leurs demeures.

Ils aimaient leurs petites îles. Ils les ont quittées parce qu'ils avaient été appelés pour devenir pèlerins : pour s'avancer, corps et âme, sur le chemin de Dieu. Dans une pâle imitation de leurs voyages passionnés, j'embarque à l'avant de notre vieux canot vert à chaque été.

Seule cette incessante attirance pour le pèlerinage - et mon mari, avide, assis à l'arrière - peut me sortir à ce moment-ci de mon jardin, avec toutes ses fleurs violettes en forme de cônes, si simples dans leur beauté et qui ne désirent qu'être admirées. Nous sommes tout éveillés. L'eau bavarde avec nos avirons et nous écoutons avec nos cœurs.

Peut-être que dans les brumes qui s'élèvent du lac, dont la surface est semblable à de la soie grise, verrons-nous la face de Dieu. Nous devons parfois quitter notre maison pour trouver notre vraie demeure.

5 AOÛT

DIEU

La doctrine divine la plus claire que j'ai jamais entendue m'a été exposée par David Pace, un garçon de sept ans. Il était avec un petit groupe d'autres gamins de son âge qui fréquentent l'église; ils étaient en train de discuter de la nature de Dieu. Vint finalement l'expression de la sagesse de ce jeune enfant, livrée lentement et prudemment.

«Personne ne le sait», dit-il. Il n'était pas inquiet, n'ayant pas besoin d'une plus assurance au sujet de la réalité de Dieu (même si inconnu) que

la croyance de ses parents pratiquants. «Personne ne sait qui est Dieu. Vous ne pouvez pas savoir. Personne ne sait de quoi a l'air Dieu. Dieu est seulement Dieu.»

Cela requiert un courage authentique ou la simplicité d'un enfant pour reconnaître que les apparences dont nous revêtons l'orthodoxie et les doctrines, les croyances et les affirmations propres à notre foi, sont des inventions humaines.

Elles décorent bien maladroitement un Dieu à peine aperçu dans nos rêves ou entendu au travers de voix intérieures contradictoires dont plusieurs ne tiendraient même pas compte.

Toutes nos doctrines peuvent être erronées. La description la plus rapprochée que nous avons de Dieu est peut-être l'affirmation simple d'un enfant.

6 AOÛT

L'ÉQUILIBRE

Une chose que les femmes ont commencé à gagner est le droit de travailler ardemment, de s'épuiser, de négliger le domicile et d'oublier d'aller faire prendre l'air au chien et de ne pas toujours préparer le souper parce qu'elles sont absorbées par une activité de création.

Cela a représenté une longue lutte et elle n'est toujours pas terminée.Une vie équilibrée est une très bonne chose. Maintenant, si seulement quelqu'un pouvait expliquer tout cela au processus créateur...

LE GÉNIE DES FEMMES

En faisant le ménage des tiroirs et en rangeant les vêtements, je suis tombée sur une robe que ma mère a fabriquée pour notre fille alors qu'elle était toute petite.

Ma mère, jusqu'à ce que ses yeux lui fassent défaut, faisait du tricot avec une remarquable inspiration.

Cette robe est en laine de couleur crème, faite dans la manière complexe du patron de l'île d'Aran pour lequel elle s'est bâtie une réputation.

Puis je remarque, au moment où je l'enveloppais dans un papier, une erreur. Un tout petit défaut que personne d'autre ne verrait jamais.

Mais dans l'ordre normal des choses, elle l'aurait remarqué. Cela n'aurait jamais dû lui arriver.

Mais c'est arrivé. Je lève la petite robe dans la lumière, soudainement émue aux larmes.

J'avais observé le moment où ma mère, avec son sens impeccable du style, de la minutie et de l'affection du détail, son plaisir envers son travail, avait commencé à vieillir.

Le génie est construit d'un grande habileté et d'un grand amour; il est la force créatrice de Dieu émergeant chez les êtres humains, les mères, les tricoteuses.

LA PEINE ET LA JOIE

Nous sommes enveloppées par la peine, chaque jour. Si nous avons de la chance, nous nous apercevrons maintenant - en ce moment même - que nous sommes en deuil.

De larges veines bleues sont apparues sur nos jambes, notre estomac est moins plat, nous sommes devenues vieilles. Ou notre enfant est né et nous sommes dorénavant, pour toujours, Maman.

Ou nos enfants ont quitté le domicile. Nous ne souhaitons pas qu'ils reviennent, non pas du tout, mais ils nous manquent. Cet état de deuil est possible seulement parce que nous connaissons aussi la joie.

Si nous sommes chanceuses, nous noterons maintenant - en ce moment même - la façon dont une bonne amie nous rend visite et s'assoit confortablement dans un fauteuil, comment un arbre est en train de changer de couleur devant la fenêtre, comment la neige tombe en dentelle sur nos manches de manteau, comment nous sommes devenues âgées et sages, comment notre enfant est né, comment notre enfant quitte la maison.

C'est facile de ne rien voir de tout cela, ni la peine ni la joie. Nous bavardons au sujet de la température pendant que les plus grands moments de notre vie filent sans être remarqués, ni assimilés, ni célébrés. Le saint Graal que nous cherchons est apporté dans notre salon par une charmante jeune fille escortée par cent chevaliers, alors que nous regardons la poussière dans le coin de la pièce. Le vin de la présence spirituelle est versé dans la coupe fêlée de la vie quotidienne.

9 AOÛT

L'ESPOIR

Quand j'étais une enfant, on m'a inculqué une telle dose d'espoir que tout le reste de ma vie, j'ai passé pour une personne dont l'espoir est incurable.

Je ne veux pas dire optimiste. Je veux dire que chaque situation porte en elle un espoir.

Cela me vient d'avoir travaillé avec mon père dans le jardin. Je regardais alors que - maintes fois - il transformait une petite parcelle du nord de l'Ontario en un paradis.

Je travaillais à ses côtés et je m'imprégnais de la croyance entêtée qui lui faisait dire que si vous travaillez suffisamment longtemps et avec suffisamment d'application, tout se passera bien. Je sais, avec ma tête, que ce n'est pas réellement vrai.

Mais mon cœur se souvient de ces jardins partout où nous avons demeuré; les fleurs s'épanouissaient sur des terres à l'abandon sous la main de mon père. Et je me vois remplie d'espoir.

LE BIEN ET LE MAL

Le bien et le mal vivent en nous, ensemble. Les mythologues et les romanciers font de leur mieux pour le mettre en évidence. Les vampires d'Anne Rice, par exemple, sont des héros et des saints, déchus, angoissés et désirant être bons. Mais nous avons depuis longtemps extériorisé le mal. J'étais en Allemagne de l'Est peu avant que tombe le Mur.

Je me promenais seule et j'ai rencontré quelques soldats russes qui marchaient en peloton de manière relâchée. J'étais terrifiée.

Mais il n'y avait pas de raison. Je ne faisais que me tenir là, anonyme. Ils n'auraient pu avoir aucun motif pour me parler. Il est probable qu'ils ne savaient pas plus parler l'allemand que moi.

De toute façon, bien que nous ne le sachions pas, la Guerre froide était pratiquement terminée.

Mais un millier de romans d'espionnage se logeaient dans ma colonne vertébrale et je ne pouvais pas bouger.

La notion nord-américaine du mal personnifié se projetait à l'extérieur de mon corps sur ces hommes en uniforme. J'aurais pu tout aussi bien voir le diable!

Ce que nous ne reconnaissons pas en nous-mêmes, nous le projetons à l'extérieur. Lorsqu'un pays entier fait cela, nous créons un empire démoniaque.

LE CONTENTEMENT

Mes garçons ont connu une période difficile quand ils ont atteint les premières années de l'adolescence. Ils me dictaient ce que je devais écrire.

Ils voulaient que je devienne une célèbre journaliste d'enquête et que je remporte des prix pour la découverte - et la diffusion fracassante - de faits peu connus qui entraîneraient la chute du gouvernement.

Ils souhaitaient que je devienne une romancière située au sommet de la charte des ventes, préférablement dans le domaine de la science-fiction ou des histoires de meurtre.

Ils se demandaient pourquoi je n'étais pas une célébrité de la télévision.

«Je vous ai élevés vous et vos sœurs», leur disais-je.La réponse ne leur suffisait pas. «Vous êtes responsables de votre propre vie», dis-je.

«Et je suis responsable de la mienne. Allez-y vous autres, devenez célèbres. Je vais seulement faire du mieux que je peux.» L'équilibre entre l'ambition (qui, insatisfaite, peut vous rendre folle) et le contentement (qui peut entraîner, disons-le, un appauvrissement pécuniaire) est subtil, fragile et difficile à percevoir.

Nous faisons tout bonnement de notre mieux.

LA COLÈRE

Il est dans ma nature, lorsque je suis en colère, d'aimer réfléchir à ce qui m'a mise dans cet état et ensuite, de formuler un raisonnement clair pour que cela ne se reproduise plus.

Au moment où j'ai terminé toute cette réflexion intérieure, la personne envers qui j'étais en colère a oublié ce qu'elle avait fait.

Ou encore, je suis devenue tellement amourachée de mon précieux raisonnement que j'ai oublié que je ne l'ai jamais dit à haute voix, et je suis alors bien surprise quand le comportement qui m'offense se reproduit.C'est ainsi que je suis faite.

Il m'arrive parfois d'essayer de changer cela. J'admire les gens qui arrivent à faire face sur le champ et avec mordant à une situation négative, particulièrement parce que c'est ce que la sagesse populaire dit que nous devrions faire, mais lorsque je tente de le faire, ça ne se présente pas bien.

Nous devons parfois composer avec les événements à notre façon, et non à la façon de qui que ce soit d'autre.

LA GUÉRISON

Un des dangers qui guettent les personnes souffrant d'une maladie chronique est celui de se voir coupées de la communauté. Peu de gens veulent côtoyer quelqu'un qui est constamment submergé par sa souffrance, qui ne peut voir autre chose qu'elle.

Ce n'est pas bon pour l'amitié. Parfois, nous devenons des malades chroniques de l'âme, et cela aussi nous isole.Dans les deux cas, le retour à la communauté fait partie du processus de guérison. L'un des aspects les plus précieux du travail en groupe sur le rêve - ou de tout autre sorte de groupe de soutien - c'est qu'il nous ramène au compagnonnage humain et à l'intimité.

Nous pouvons être soignées, si ce n'est guéries, par la présence d'amis.

LA CROYANCE

J'éprouve une grande difficulté face à ce type de prédicateur qui m'enjoins de croire en Jésus. La croyance n'est pas un acte de volonté. comme dire «Grandis de six pouces et tu seras belle.»

La réalité est ce qu'elle est ou elle ne l'est pas. Peut-être que si le prédicateur disait

«Vous semblez préoccupée, puis-je vous aider ?», alors je pourrais croire. Non pas parce qu'il connaîtrait mes soucis, mais parce que je

pourrais percevoir la réalité de l'amour dont il parle sans arrêt. L'évangélisation, telle la bonne écriture, consiste à montrer et non à dire.

15 AOÛT

GAÏA

C'est le matin et mon mari observe trois orignaux en train de brouter dans le marécage au pied du mont de l'Érable. C'est le matin sur une parcelle de cet ancien tissu fait de terre, d'eau et de ciel que les Grecs appelaient Gaïa et que les autochtones de cette région-ci appelaient Mère. Comme toute la Création, le mont de l'Érable est à la fois ordinaire et sacré.

Il est telle une cathédrale encerclée d'un marécage et nous y avons fait notre pèlerinage, en traversant une étendue d'eau houleuse et en nous engageant sur un ruisseau tortueux et peu profond auprès duquel nous avons installé notre tente.

Mon mari s'est réveillé de bonne heure en entendant les orignaux.Le cercle que nous avons tracé autour de ce qui est sacré recommence à s'agrandir.

Nous les Chrétiens, nous avons jadis tout oublié à ce sujet. Nous avons cru que les grandes églises de pierre représentaient les seules demeures que souhaitait Dieu. Mais maintenant nous nous souvenons.

Nous savons que Dieu aime toute la terre et toutes ses créatures avec une sainte passion et un saint détachement.

LES ANGES

Le théologien américain Walter Wink parle de l'époque où il dirigeait un groupe de jeunes. Ils discutaient la manière dont Jésus suggéra au jeune homme riche de vendre tout ce qu'il possédait, d'en distribuer les profits aux pauvres et de le suivre.La discussion ne se déroulait pas bien. Wink finit par regarder tout autour. Ils se trouvaient dans cette sorte de salle que vous retrouvez parfois dans certaines églises bien établies dans des quartiers bien nantis. Il y avait un superbe tapis oriental sur le plancher qui - réalisa-t-il - devait coûter environ 10 000 $.

Et le tapis chuchotait «Ce n'est pas vrai. Ce n'est pas vrai.»Quand une importante conversation ne se déroule pas bien, regardez tout autour.

Quelque chose qui ne peut pas parler est peut-être en train de vous contredire.

17 AOÛT

LE REGRET

J'ai fait un ménage de mon bureau et j'ai brûlé les textes de mes premières histoires, en pleurant.

Je ne peux pas comprendre pourquoi j'ai fait cela, si ce n'est qu'elles m'adressent un reproche du fait de leur seule présence et me disent que je n'avais pas assez de talent pour qu'elles soient publiées.Je m'en suis finalement détachée. Le regret, ce qui représente en fait tout ce qu'elles avaient à m'enseigner, est un sentiment dont je n'ai pas besoin. Je suppose que c'est ainsi que Dieu a eu l'idée du déluge.

Les blâmes qui provenaient des créatures de Dieu, au sujet de leurs nombreuses imperfections, étaient plus que ce que Dieu pouvait endurer. Dieu a changé après tout. Et je changerai aussi.

18 AOÛT

L'ÉCRITURE

Le mouvement de l'écriture, pour quelqu'un qui écrit un journal ou un roman, un article ou une allocution, est toujours le même. Tout d'abord, vous vous arrêtez.

Les écrivains sont absorbés par le besoin d'entrer en contact. Cela ne peut se faire à moins que ne soyez allées assez loin en vous-mêmes pour connaître vos profonds sentiments personnels.

La connexion se produit lorsque les images que vous créez et le rythme de l'histoire rejoignent les sentiments du lecteur, et qu'il y a reconnaissance.

Il ne s'agit pas que le lecteur soit d'accord, même une fois qu'il a terminé la lecture de l'histoire. Il s'agit seulement de persuader le lecteur de s'y intéresser.

LE DÉNI

Le déni est assurément mon mécanisme de défense préféré. Les gens en parlent comme si c'était quelque chose dont il faudrait avoir honte. «Tu es dans le déni» est cette phrase que disent gentiment les personnes qui ne veulent que notre bien. Oui vraiment.

Peu importe ce qui me permet de passer au travers. J'aime les rêves parce qu'ils en sont complices.

Ils seront indéchiffrables jusqu'à ce que nous soyons prêtes à entendre leur message. Les personnes qui travaillent les rêves en groupe devraient être prudentes et ne pas interpréter cavalièrement les rêves d'un autre membre à sa place, de peur de rompre son déni.

Ce n'est pas que ça représente un grave danger - pour la plupart, nous refuserons simplement une interprétation que nous ne sommes pas prêtes à accepter - mais un tel comportement se situe bien au-delà de la marge délicate de l'éthique du rêve.

Un jour, quand nous serons suffisamment fortes, nous admettrons toute la réalité Notre âme connaît le lot de vérité que nous pouvons affronter et nous en offre la juste quantité.

LE CHANGEMENT

Mon époux est allé en Afrique du sud pour aider à la surveillance de leurs premières élections. Cela m'a rendue très confuse.

Ce n'était pas tant du souci au sujet de sa sécurité; il avait déjà été en des endroits où régnaient des troubles politiques et son habitude a toujours été de revenir.

Il s'agissait surtout que le fait de quitter la maison, de permettre de nouvelles expériences dans nos vies, me tourmente toujours. Nous changeons, l'un et l'autre, quand nous sommes au loin.

La personne qui reviendrait à la maison après un mois ne serait pas celle qui l'avait quittée. De minimes mais nécessaires ajustements devraient être faits dans notre relation, et nous aurions à modifier bien tranquillement ceci et à ajuster cela.

Pendant qu'il était parti, un colis est arrivé - une généreuse gerbe de fleurs avec une petite figurine coincée à l'intérieur. Une amie qui fait de la poterie m'avait envoyé un de ses anges en argile.

Quand je l'ai soulevé, les ailes de cuivre de l'ange ont vibré, un léger murmure qui dissipa soudainement mon malaise.

Nous sommes toujours affectées par de petites choses, disait l'ange.

Nous sommes transformées par le bruissement de l'aile d'un papillon chez soi ou ailleurs. Tout le temps. Toute relation. Et nous nous ajustons.

FAIRE DES REPROCHES

J'ai toujours essayé de ne pas faire de reproches. Et puis je suis allée en Angleterre en 1989 pour rencontrer les femmes qui avaient installé un campement à Greenham Common, les pacifistes qui se sont assises devant les gros camions qui transportaient les missiles Cruise en vue d'exécuter des manœuvres.

Elles se sont assises devant les camions et furent emmenées en prison. Elles invectivaient leurs geôliers pour leurs comportements similaires à ceux des soldats. Lorsqu'elles furent libérées, elles y retournèrent.

Elles utilisèrent de gros ciseaux à métal pour couper la clôture pendant la nuit pour aller faire leur buanderie en s'introduisant dans la maison des gardiens.

Lorsque l'armée a tenté d'utiliser des oies pour donner l'alarme, les femmes les ont nourries de raisins secs baignés dans le rhum jusqu'à ce qu'elles tombent dans un état de stupeur heureuse, et elles s'introduisirent à nouveau.

Elles marchèrent bras dessus, bras dessous sur la piste en déclarant que c'était là une terre publique. Elles dansèrent au-dessus des silos souterrains où étaient gardés les missiles.

Elles chantèrent. Elles réprimandèrent le parlement, les militaires, tout un pays qui allait permettre que de telles armes soient lancées. Elles y sont restées pendant six ans, leur nombre augmentant à plus de 30 000 lors de certaines fins de semaine.

Elles fixèrent des pancartes revendicatrices aux clôtures. Elles constituèrent un irritant si persistant pour les hommes qui dirigeaient RAF Greenham Common (en fait, une base américaine) qu'elles ont fini par gagner. Les missiles Cruise furent retirés. Je trouve ça difficile de me faire harcelante. Mais il arrive parfois que vous devez l'être.

22 AOÛT

LE COURAGE

J'avais l'habitude de penser que j'étais la seule à avoir peur. En tant que journaliste, je revenais sur mes mots, craignant ne pas les utiliser de la meilleure façon qui soit et de blesser quelqu'un qui ne le méritait pas.

Mais après plusieurs années de l'atmosphère intimiste des groupes de rêve, à travailler avec plusieurs personnes différentes, je me suis rendue compte que je n'étais pas la seule. La plupart d'entre nous avons peur. La plupart d'entre nous ne voulons pas blesser personne, ne voulons pas être seules.

Le courage et la peur ne sont pas des contraires, comme j'ai longtemps pensé. Ils ont toujours coexister, se surveillant mutuellement d'un œil soupçonneux. C'est l'amour qui chasse la peur, pas le courage.

Et nous devons, comme femmes, témoigner fièrement de ces moments où nous avons eu peur et où notre courage nous a aidées à dire la vérité quand même.

LÂCHER PRISE

Les femmes perfectionnistes trouvent le lâcher-prise particulièrement difficile parce que nous aimons, disons-le, que tout soit parfait.

Mais les enfants ne grandissent pas, et les époux et les amants ne nettoient pas les toilettes tant que nous nous ôtons pas du chemin. (Ne riez pas de cette image.

Le lavage des toilettes, c'est du travail corporel, du sale travail et donc du travail de femmes; tout comme la mise au monde des enfants et la préparation des corps pour l'enterrement ont été, à travers les siècles, essentiellement du travail pour femmes.) Chacune d'entre nous a à décider si le renoncement de cette propriété, de sorte que les autres membres de la famille puissent en assurer le suivi, est plus important que l'achat d'un aliment pas vraiment nutritif quand les autres font l'épicerie ou que le roulement de quelques mousses de poussière dans le salon après que l'aspirateur ait été passé.

Avec un peu de pratique, quand nous ne faisons pas tout, nous trouvons le temps libre supplémentaire très agréable.

Et apprendre la manière dont le renoncement a longtemps été notre lot nous donne une position morale quand nous voulons que les hommes abandonnent l'emprise que certains démontrent sur les microphones au sein de grandes assemblées, ou qu'ils cèdent le plancher au cours d'une conversation.

LES PERTES NON DITES

Les politiciens évoquent le «problème» autochtone, les toxicomanies, l'isolement et la pauvreté des habitations observés dans certaines réserves ou à l'intérieur des villes. Je n'en ai jamais entendu un parler de toute la richesse que nous avons perdue, en tant que nation, en permettant à l'arrogance d'anéantir leur potentiel.

Si les peuples des Premières Nations et les traités avaient été respectés, combien plus proches de la terre serions-nous et combien plus intègres ?

Et pour les femmes, il existe là aussi un «Et si...». Combien de personnes habiles et créatives le monde des affaires a-t-il perdues en faisant preuve d'une telle intransigeance qu'un parent doive abandonner et quitter.

Quelle sagesse le gouvernement perd-il du fait que les femmes ne forment qu'une infime minorité des personnes élues et admises au Cabinet ?

Nous avons parfois besoin de regarder ce qui ne s'est pas produit dans notre vie, et qui pourrait encore se faire.

25 AOÛT

LES RÊVES

Travailler en groupe sur les rêves est très enrichissant et intimiste. Tous les cœurs s'ouvrent à vouloir prendre soin de nous, tous les esprits filtrent des images pour nous, offrant à l'attention de notre lecture personnelle des associations et des significations.

Il est cependant bon de savoir comment fixer des limites, à l'intérieur d'un groupe de rêves comme dans n'importe quelle relation de grande intimité. Nous les humains, nous aimons tellement être en contrôle, et avec une telle inconscience.

Alors un jour viendra où une personne bien intentionnée vous dira sans mâcher ses mots «Voici ce que ton rêve signifie. »Elle commet une erreur. «Merci», pourrez-vous dire, «je vais y penser. Mais je dois moi-même en trouver la signification.» C'est là une bonne pratique pour toutes les autres fois où nous avons à choisir par nous-mêmes.

26 AOÛT

LA GUÉRISON

Raconter des histoires constitue une forme de guérison. Chaque texte de fiction que j'ai écrit pour les enfants a émergé à la suite du contact avec la souffrance d'un enfant - la mienne dont je me souvenais, ou celle d'un autre dont j'étais

témoin.Ça ne veut pas dire que les histoires sont tristes. En fait, elles sont surtout joyeuses.

La jalousie suscitée par la naissance d'une petit frère ou d'une petite sœur est admise et atténuée; la perte d'un petit chien ou d'un poisson rouge est examinée.

La peur d'être une poule mouillée est résolue au cours d'une aventure. La vie est une aventure risquée et nous ne possédons d'autres armes que nos propres mots. Nous nommons les blessures en cours de route et nous les tissons en une toile qui guérit.

27 AOÛT

LA PRIÈRE

Lorsque nous prions avec nos cœurs, nous cheminons sur la bonne voie. Pour prier, nous devons pénétrer au-delà de la chair et des os jusqu'à la partie la plus vulnérable en nous, cette partie qui n'est que vaguement comprise.

Nous devons parler à Dieu à partir de cet endroit. C'est l'aspect le plus faible, le plus petit et le plus fragile de nous qui connaît notre vérité.

Tout cela est plus évident pour les gens pauvres. Leurs vies ont été réduites à l'essentiel. Pour ceux qui ne sont pas pauvres, ce n'est pas si clair.

Ils ont beaucoup à balayer de leur chemin pour parvenir à un endroit où ils ont quelque chose à dire à Dieu.

28 AOÛT

L'EAU

L'eau représente un puissant symbole pour la vie émotionnelle. Ce sont les larmes et les eaux de la naissance. Alors quand je rêve de la neige et de la glace, je deviens nerveuse.

Des larmes emprisonnées, des émotions gelées, une créativité et une pensée fertile figées tels des cristaux de glace.

Le rêve crie presque : «Réveille-toi Blanche-neige. Ne sois pas si rigide.

Pleure si tu en as besoin. Rie, crie. Soulage-toi.»Nos corps sont faits de quatre-vingt-dix-sept pour cent d'eau. Pas étonnant que nos âmes aiment plonger dans cette image.

29 AOÛT

LE MAL

Nous faisons obstacle au mal en ne nous y alliant pas, en disant la vérité, en priant, en le dénonçant quand nous le voyons, en ne le supportant pas. Une des choses les plus cruelles concernant l'économie actuelle, c'est que certains travaillent de trop longues heures alors que d'autres n'ont aucun travail.

Ceux qui travaillent de longues heures trouvent difficiles de résister au mal. Ils sont trop occupés pour le voir. Ceux qui ne travaillent pas du tout peuvent voir de quoi il a l'air - c'est leur enfant, affamé. Mais la survie requiert beaucoup de temps. Peu importe qui a dit que le diable aimait l'oisiveté, il se trompait.

Le mal est en force lorsque les gens sont maintenus tellement occupés qu'ils sont incapables de combattre même un soupçon de méchanceté.

30 AOÛT

LA PAIX

Lorsque Isaïe a partagé sa vision où chacun vivait en jouissant de sa propre vigne et de son propre figuier, où nul n'avait de craintes, il savait qu'il décrivait ainsi une image de la paix véritable. La paix existe quand tout le monde possède une terre.

La terre commune à tous, comme celle des fermiers du Chiapas, ne constitue une menace pour personne, et il n'est nul besoin que des soldats aillent brûler leurs récoltes de maïs pour en chasser les gens.

Les Cris de la baie James sont familiers avec cette image de la paix, de même que les Innus du Labrador. Ils savent qu'ils ne doivent pas laisser inonder les terres, ni les réduire à quelque chose qu'on survole en avion et sur quoi on se pratique à lâcher des bombes.

Les jardiniers contribuent à ce savoir grâce au pouvoir de leur imagination. De leurs grand-mères et de leurs grands-pères, ils ont appris que la paix et l'abondance sont possibles si seulement vous pouvez trouver un peu de terre. Ainsi dans leurs cours arrière, ou sur leurs balcons et les rebords des fenêtres, ils façonnent un univers

alternatif - différent du monde - où les cycles saisonniers sont vénérés, le dépérissement inévitable accepté et le travail, respecté.

Nous les femmes avons une mémoire durable. Nous cultivons des fleurs parce qu'elles nous rappellent que la paix et l'abondance sont possibles.

31 AOÛT

LES DISCIPLINES SPIRITUELLES

Il est bon de prier, de marcher, de jardiner, d'écrire et de rêver. Ce sont toutes des façons de rencontrer Dieu. Toutes sont sources de guérison. Mais le visage de Dieu se trouve aussi en notre voisin.

Et notre voisin n'est pas nécessairement notre ami, pas nécessairement celui ou celle qui nous fait rire, ni la perle rare qui nous régénère et certainement pas la personne qui vit à la porte d'à côté.

Notre voisin est tout bonnement toute personne qui a besoin de nous.Cela ne veut pas dire que nous devons donner jusqu'à ce que mort s'en suive. La prière, la marche, le jardinage, l'écriture ou le rêve servent à cela - à nous reposer.

Nous accaparons ces bonnes choses et ce précieux temps autant que nous en avons besoin.

Il s'agit parfois de *tout* notre temps; tout ce que nous savons faire c'est nous recréer. Mais un jour, nous trouverons notre voisin blessé par la vie. Et nous ne pouvons pas l'ignoreren traversant de l'autre côté.

SEPTEMBRE

1ER SEPTEMBRE

UNE VIE NOUVELLE

Je m'étais jointe à un groupe d'étude de la Bible. J'étais une étudiante pas mal sérieuse. Nous travaillions sur l'évangile de Marc et une tâche nous avait été assignée à une amie et à moi : mettre en scène l'histoire de la fille de Jaïre qui, âgée de douze ans, se meurt alors que son père, dans tous ses états, court au-devant de Jésus pour le prier de venir chez lui et la sauver. Jésus ne peut s'y rendre tout de suite (une toute autre histoire) et au moment où il parvient à la maison de Jaïre, les pleureuses sont déjà à l'œuvre.

Mais Jésus entre dans la chambre de la jeune fille et lui commande de se relever. Et lorsqu'elle le fait, au grand étonnement de tous, Jésus suggère qu'on lui donne quelque chose à manger.

Nous l'avons joué. J'étais la fille. Et la chose la plus extraordinaire se produisit.

Je me suis soudainement souvenu de ce que c'était que d'avoir douze ans, d'être intense et affamée tout le temps, et remplie de fascination envers la vie. Et je me suis subitement rendue compte qu'il y avait bien longtemps que je n'avais rigolé.

C'était comme si cette jeune fille avait été endormie ou était morte en moi, et lorsque mon amie dit «Jeune fille, je te dis de te lever», elle se réveilla.

J'en avais un grand besoin. Et elle ne m'a jamais quitté depuis. Elles est toujours assise juste sous la surface de ma vie et dit «Regarde. Ah! n'est-ce pas amusant, n'est-ce pas étrange, n'est-ce pas merveilleux ?»

N'est-ce pas amusant de quelle manière une histoire va se présenter au moment même où on en a besoin ?

2 SEPTEMBRE

LA BIBLE

Je ne comprends pas complètement ce que veulent dire les érudits quand ils parlent de critique historique. Je pense qu'ils veulent signifier que nous devons faire une lecture critique de la Bible, non pas la prendre au pied de la lettre, avec des yeux qui tiennent compte des préoccupations de ce temps-là.

Ou peut-être veulent-ils dire d'examiner notre temps, avec un sens critique, en tirant avantage du point de vue de ceux qui ont écrit la Bible.

Ceux qui ont composé ces écritures nous croiraient mentalement dérangés s'ils voyaient notre détermination face à l'individualisme, notre acceptation du fait que des membres de la communauté souffrent de la pauvreté alors que d'autres possèdent trop.

De la même manière que nous les trouvons bizarres avec leurs esclaves et leurs femmes devant se couvrir la tête. Regarder notre monde à travers les yeux des autres comporte de la valeur.

L'IDENTITÉ

Nous les mères avons besoind'une forte identité personnelle parce que la souffrance de nos enfants qui font face à la vie provoque notre propre douleur.

Particulièrement en ce qui touche aux problèmes de notre passé auxquels nous n'avons pas fait face. Il est difficile d'admettre leurs sentiments si nous ne pouvons pas encore composer avec les nôtres.

La première fois que je suis allée voir ma fille jouer au volley-ball - elle était en sixième année - je voyais cette grande, maladroite jeune fille sur le terrain, espérant que le ballon ne vienne pas dans sa direction.

Je me suis aussitôt mise à pleurer. Je me retrouvais soudainement à l'époque de ma propre enfance lourdaude alors que j'étais la grande fille qui n'arrivait jamais à atteindre la note de passage dans les activités du gymnase. Je n'avais jamais pleuré pour cette enfant.

Même à la partie de ma fille, j'ai ravalé mes larmes en espérant qu'elle ne les verrait pas. Mais après la joute, j'ai dit: «Ça devait être épeurant là-bas avec tous ces gens qui te regardaient.»

Nous trois - ma fille, moi adulte et la fillette de onze ans qui vit toujours en moi - avons eu une longue conversation sur ce que ça fait de rater le ballon parfois. Et nous nous en sommes toutes mieux senties.

LA COLÈRE

Il existe un feu persistant dans la tourbière non loin d'où j'habite, l'immense étendue de tourbe dont est couverte une grande partie du Canada nordique.

Il voyage sous la surface et couve pendant des années sans être éteint par la pluie ou par la neige.Il y a des endroits où la fumée reste suspendue dans l'air quand le temps est tranquille et elle nous prend à la gorge.Certaines colères ressemblent à ça. Les femmes sont plus susceptibles que les hommes d'intérioriser leur colère, de la laisser couver sous la surface comme le feu de tourbière, ne s'éteignant pas tout à fait par manque d'oxygène, ni ne brûlant tout à fait tel un bon et fort brasier.

Vous penseriez que nous aurions dépassé cela de nos jours, mais ce n'est pas le cas. De trop nombreux siècles à cacher notre colère, trop à perdre si nous la laissons faire rage. Ainsi lorsque vous rêvez à de la fumée - un poêle fumant, un foyer qui tire mal - jetez un coup d'œil autour de vous et voyez ce que vous avez fait de votre colère. Si elle a été déplacée vers l'intérieur et vers le bas, tels les feux de tourbière, vous voudrez peut-être faire un peu de creusage.

Si elle est si profondément enfouie que vous ne pouvez pas la voir, un thérapeute peut vous aider avec l'excavation. Une colère dont on se remémore à moitié rend la respiration difficile.

LES ANGES

Je suis émue par les gens qui ont été sauvés par des anges, ramenés dans l'escalier après avoir glissés, poussés vers le quai alors qu'ils risquaient de se noyer.

Les anges apparaissent sous la forme d'animaux ou de personnages lumineux, ou ils sont entendus sous la forme de musique, ou encore, ils se matérialisent - comme c'est le cas d'une de mes amies - en une petite vieille dame portant un manteau gris.

Je crois profondément en ces histoires. Je connais parfois très bien la personne qui raconte l'histoire et je sais que le mensonge ne fait pas du tout partie du personnage.

Parfois ce qui m'en convainc, c'est simplement la transparence à la fois de l'histoire et du conteur.

Mais je suis témoin à l'occasion de gens ordinaires, aussi brassés par la vie que n'importe qui d'autre, qui font preuve d'une incommensurable gentillesse les uns envers les autres.

Ça aussi c'est un miracle. Les anges surgissent en d'étranges endroits.

6 SEPTEMBRE

LA SPIRITUALITÉ ET LE QUOTIDIEN

Une particularité de la chrétienté celte - qui s'est développée en Irlande, en Écosse et dans des monastères d'Angleterre et d'Europe du septième au neuvième siècle environ - était que le spirituel n'était pas séparé du reste de la vie. Tout était d'une seule pièce. Tout était perméable à la foi.

Peut-être cette époque exerce-t-elle un retour. L'idée selon laquelle la spiritualité appartient au dimanche, qu'en quelque sorte, Dieu ne vit pas dans le monde de tous les jours, est en train de s'effriter.

Les Églises qui ont tenté de confiner Dieu et de lui assigner un rôle répondant à certaines règles, définies seulement par quelques individus, sont également en train d'éclater en miettes.Et Dieu apparaît précipitamment, ravi d'être libre.

7 SEPTEMBRE

LE TRAVAIL

Parfois, lorsque le travail prend le dessus sur toute autre chose dans nos vies (ou de ce qui avait coutume de faire partie de notre vie quand nous en avions une), nous devons regarder ce qui se passe.

La réussite ne constitue peut-être qu'un autre masque, une autre façon de nous définir nous-mêmes par crainte de permettre au monde de voir qui nous sommes réellement.Les femmes sont davantage que leurs rôles en tant que mères, épouses et filles. Et nous représentons davantage que notre travail.

8 SEPTEMBRE

LA GRATITUDE

Dans le nord de l'Ontario où j'ai grandi, c'était et c'est encore, pour certains, la coutume de remplir le congélateur de viande d'orignal et de chevreuil.

Il nous arrive de recevoir à l'occasion un cadeau de viande de gibier. Ma fille souligne annuellement son retour du chalet d'une amie en faisant triomphalement frire une grosse platée des petits poissons qu'elle a pêchés.

Notre famille est maintenant urbaine, éduquée à l'université, professionnelle. Tout ce que nos grands-parents ont rêvé que nous soyons lorsqu'ils ont fait ce long voyage de bateau en provenance des îles britanniques, il y a près d'un siècle.

Mais j'espère que nous avons appris quelque chose au cours de ces années, au temps où la fabrication d'une tarte aux bleuets commençait avec une vieille boîte de miel munie d'une poignée de broche.La gratitude.

Nous sommes reconnaissants envers le peuplier pour le papier de nos livres, les rivières pour l'électricité qui fait fonctionner nos ordinateurs, les animaux qui nous nourrissent et qui partagent leur habitat avec nous. Ceux qui ressentent de la gratitude envers ce que la terre offre n'en prennent que ce qu'elle peut donner sans la mettre en danger.

9 SEPTEMBRE

TROUVER DIEU

Dieu est fuyant, tel un chevreuil. La façon de trouver Dieu, c'est de se placer sur le chemin que Dieu utilise souvent, et espérer qu'il y passera. Et de rester silencieux, évidemment. Vous ne pouvez entendre le pas d'un chevreuil ou le souffle de l'univers qu'en étant en silence.

10 SEPTEMBRE

L'AMOUR

Il est difficile d'aimer à moins d'avoir été suffisamment bien aimées pour pouvoir considérer que nous-mêmes sommes aimables.

C'est ce qu'on veut dire par mères «suffisamment bonnes».

Les mères n'ont pas à être parfaites. Elles n'ont qu'à être suffisamment bonnes pour nous laisser savoir que nous sommes aimables.

Si nous n'avons pas atteint ce niveau d'acceptation de soi, il est important de le rechercher. La meilleure place où regarder est parmi les gens qui aiment facilement.

Les organisations de bénévoles sont des choix logiques pour les personnes qui débordent d'amour.

Ou les enfants, qui ne gardent pas leur amour pour eux et qui sont encore trop jeunes pour décider que l'amour doit être parfait.

Certaines églises, si l'on y comprend que la grâce importe plus que les règles, peuvent être remplies de gens ayant beaucoup d'amour.

Vous serez en mesure de dire si c'est le cas ou non par la façon dont les gens se traitent entre eux. La manière d'apprendre à aimer est d'aller là où on vous aimera.

11 SEPTEMBRE

LE MYTHE

Celles qui d'entre nous ne possèdent pas de mythe personnel doivent en trouver un pour elles-mêmes.

Si nous ne le faisons pas, le vide intérieur sera comblé par une histoire du monde qui n'a aucune héroïne, aucun voyage, aucun Graal.

Ce ne seront que de vastes espaces sauvages sans nourriture, sans montagne.Il n'est pas si difficile de trouver un mythe.

C'est pour cela que nous avons des ancêtres. Si vous ne savez pas qui ils étaient et ce que pourrait être l'histoire de votre famille, demandez à votre grand-mère et à votre arrière-grand-mère de venir vous visiter en rêve.

Elles peuvent vous dire où découvrir votre histoire.

L'HOSPITALITÉ

Un bon accueil ne repose pas sur la propreté impeccable d'une maison ni même sur un formidable repas; bien que ces choses soient agréables.

L'hospitalité consiste surtout - comme le dit le théologien Henri Nouwen - à libérer un espace en nos cœurs pour la personne qui entre.

Cela veut dire regarder leur visage pour comprendre qu'elle en est l'expression.

Et écouter - non seulement leurs mots - mais leur poids, leur ton et leur débit. C'est demeurer silencieuses.

Lorsque les gens sont en besoin et qu'ils ne le savent pas, le silence permettra au besoin de faire surface.

Nous pouvons permettre au besoin, à la douleur ou au souci de flotter entre nous pendant un moment, lui donnant le temps de se montrer, de se faire entendre.

Ensuite nous pouvons laisser une partie de notre propre douleur s'y joindre, lui tenir compagnie.

Plus tard nous pouvons inviter ces soucis à prendre une longue marche. La souffrance et l'inquiétude deviennent parfois trop épuisées pour nous accompagner jusqu'à la maison et nous pouvons les laisser se reposer quelque part sur un banc.

LES HISTOIRES SAINTES

La spiritualité en souffre quand nous exigeons une trop grande quantité de ce qu'il nous plaît d'appeler «des faits».

La force de la religion dépend de sa capacité à rendre nos vies plus profondes, plus vastes, plus riches et plus complexes.

C'est un travail à un niveau intuitif.

Il repose sur des symboles vivants qui se transforment et qui changent en fonction de nos vies à tel ou tel moment.

Quand les religions deviennent chargées de catégories et de règles rigides, les gens se tournent avec raison vers ce qui reste ouvert.

Le *I Ching*, le Tarot, la Roue de la médecine : ils sont tous vivants parce que nous ne les avons pas étouffés avec des règles.

Nous pouvons toutefois nous réconforter. Les histoires de Saraï et d'Abram, de Jésus et de Marie, de la naissance et des guérisons, sont beaucoup trop vastes pour que nous puissions les coincer.

Rien ne peut nous empêcher d'entrer dans ces histoires et de les accueillir en nous, jusqu'à ce que leur sagesse puisse nous porter.

L'ÉNERGIE MASCULINE

Lorsque je dois conduire sur une longue distance, je fais souvent jouer des cassettes des chanteurs masculins Bruce Cockburn, Lennie Gallant, John Prine. Peut-être ai-je seulement le goût d'entendre des paroles qui ont du cran.

Mais une de mes amies me dit qu'elle a besoin de leur agressivité pour passer au travers de la circulation, et je pense qu'elle a raison. Je chante avec eux à haute voix et ils m'aident à penser comme le fait un homme.

Une certaine attitude, si vous avez à conduire longtemps là où de nombreux gros camions se dirigent droit vers vous, peut vous aider à surmonter ces moments.

15 SEPTEMBRE

L'AUTORITÉ

Il est parfois difficile pour les femmes de se faire entendre. Notre habitude de ne pas élever la voix est profondément ancrée.

Et la joyeuse tendance qu'ont certains hommes de prendre pour acquis qu'ils ont quelque chose à dire et d'utiliser tout le temps disponible pour le dire, nous maintient à l'extérieur des débats publics.

Mais nous possédons un remarquable talent pour nous placer à l'avant-plan. Nous savons comment entendre les choses que ceux qui ne parlent pas ont tout de même à dire, un don d'intuition dont la vie publique pourrait bénéficier.

Nous savons comment faire plusieurs choses en même temps : calmer le bébé sur notre épaule, brasser la soupe, surveiller le benjamin, donner un autre morceau de pâte à modeler au petit de quatre ans et écouter une amie en besoin.

Puisque nous n'avons que rarement eu beaucoup de pouvoir, il nous est possible d'avoir quelque chose de mieux. La compassion.

Et puisque nous avons, pour la plupart, empoigné un porte-documents pour retourner sur le marché du travail, nous savons, en plus de tout ça, comment mener une carrière.

Par conséquent, nous jouissons d'une autorité. Mais nous allons devoir l'assumer nous-mêmes.

16 SEPTEMBRE

FILS ET FRÈRES

Portez votre attention sur les pères, les fils et les frères. Ils représentent les personnes que nous aurions pu être si nous étions nées hommes plutôt que femmes.

Ce qu'ils sont, la manière dont ils affrontent le stress, l'agression, la colère, les relations interpersonnelles, les grenouilles, les crapauds et les machines de tous genres, nous offre un aperçu de notre propre principe masculin.

17 SEPTEMBRE

HISTOIRES DE FOI

Ce serait difficile maintenant de vivre loin du lac. La place qu'il occupe dans ma conscience deviendrait un trou béant si elle en était dérobée. Quand j'ai besoin de clarté, j'y vais et je regarde au loin. Il y a du vent et de l'espace.

Et du temps. Parfois il se transforme en un autre lac avec moins d'arbres, des rivages plus desséchés et un personnage qui marche sur sa surface.

Parfois des bateaux de pêche sont arrivés d'un autre siècle et le cercle de pierres qui forment la fosse du feu juste à côté du sentier, sur la plage à l'ouest, pourrait être celui où un homme, qui était supposé être mort, se tenait sur la rive et appelait ses amis : «Venez, venez déjeuner.»

Je rapporte à la maison ces histoires d'un autre siècle et je les fais miennes. Elles donnent forme à ma vie. Je ne sais pas comment ça se fait. Mais je sais qu'il me serait difficile de quitter ce lac.

18 SEPTEMBRE

LES VIVACES

Je divise les vivaces l'automne venu. Le printemps les retrouve pleines, arrondies et plutôt indépendantes, et je peux passer mon temps à planter finement des annuelles entre elles. Je me mets au travail avec mon couteau, séparant des bouquets de hostas et de chrysanthèmes «Shasta». (Tous les couteaux coupants de la cuisine émigrent dans le jardin à l'automne.

Ils retournent à l'intérieur dès que le sol est gelé; de toute façon, je ne fais pas beaucoup la cuisine en cette période de la division des plants.)Aussi innocent qu'ait l'air un bouquet, il produit des centaines et des centaines de pousses, toutes désireuses de trouver demeure.

On n'a aucun besoin d'une telle extravagance, me dis-je pendant que j'essaie de les distribuer aux voisins.Il est évident que le plan de Dieu est d'en avoir plus que nécessaire, pour être certain que le monde se perpétue.

19 SEPTEMBRE

LE SUCCÈS

Plusieurs femmes réussissenténormément et elles ne le savent pas. Le succès n'est pas nécessairement relié à l'argent.

Les activités qui ont le plus de valeur sont soit non payées soit sous-payées : pendre soin des enfants, soigner des parents âgés, manifester au nom des pauvres ou d'une rivière. Une vie réussie est remplie d'un travail précieux non payé, accompagné d'un travail suffisamment rémunérateur pour nous nourrir, nous vêtir et nous loger.

Une vie réussie comprend du temps pour prendre des marches avec une amie alors qu'elle ouvre son âme, du temps pour des choses fragiles et inutiles comme des fleurs. Une femme qui réussit a trouvé une communauté où elle peut être aimée; pas nécessairement un mari ou des

enfants, bien que ça peut être cela, et pas nécessairement une banlieue huppée. Seulement un cercle d'amis où elle est aimée et son travail admiré. Il importe de définir le succès en nos propres mots.

20 SEPTEMBRE

LA VERTU

Je pense surtout à moi-même comme étant du type «justice sociale».

Je crois en la protection des personnes vulnérables, particulièrement les enfants, plutôt que des personnes riches.

Toutefois, je rencontre de temps à autre des gens pour qui ce n'est pas suffisant.

Leur jugement, implicite ou explicite, me heurte comme une gifle au visage.

Cela m'enseigne quelque chose. Que l'arrogance et la droiture personnelle cachent presque toujours des vices; que la tolérance et la patience sont habituellement des vertus; que ceux qui aiment simplement, et qui ne parlent jamais de justice, pratiquent souvent la justice de manière plus intègre que ceux d'entre nous qui - par nature ou par profession - en parlent avec emphase.

21 SEPTEMBRE

L'ÉCRITURE

Les écrivains travaillent seuls mais ils sont énormément dépendants de leur communauté, non seulement pour que les gens deviennent leurs lecteurs, mais pour qu'ils soient les acteurs du drame continuel dont sont témoins les auteurs. C'est pourquoi les écrivains sont souvent grincheux.

S'ils sont en votre compagnie, ils souhaiteraient être à la maison en train d'écrire ce qu'ils croient que vous avez dit.

Mais s'ils se retrouvent seuls, ils craignent glisser dans le vide qui sépare leur mémoire de la page imprimée. Ils ne cessent jamais de s'observer eux-mêmes et d'observer les autres, ce qui les épuisent. Seule la compassion peut leur être salutaire.

22 SEPTEMBRE

LE SAVOIR

Les femmes prennent connaissance de la réalité de la même manière que les hommes, évidemment.

Parce que quelqu'un nous a enseigné certaines choses à l'école, parce que nous avons remarqué certaines choses au sein de notre famille et chez nos pairs. Et nous connaissons aussi la réalité à travers nos corps, comme le font les hommes.

Mais ici, ça signifie que nous la connaissons bien différemment.La plupart d'entre nous ne jouons pas au football. La plupart d'entre nous donnons naissance, nourrissons nos bébés à même nos corps, et prenons soin de nos enfants grâce à une combinaison d'intuition et d'espoir.

Celles d'entre nous qui ne le font pas en sont tout de même affectées;c'est la réalité de nos mères. C'est ce que nous avons observé à l'âge où nous étions en train de nous faire une idée sur la façon d'être une femme.

Il est difficile de faire de telles choses, les enfants et les soins à nos semblables, des réalités et des préoccupations publiques.

Elles sont si domestiques, si fondamentales et privées qu'elles sont apparemment intangibles dans un monde de déficits budgétaires et de taux d'intérêts. Mais les femmes savent que c'est là tout ce qui est réel.

23 SEPTEMBRE

LE TRAVAIL

Si nous imaginons que le fait d'être des travailleuses acharnées, consciencieuses et loyales nous procurera le succès financier (qui constitue la façon dont le succès est habituellement défini par le monde), nous ne faisons pas preuve de sagesse.

Ça ne le fera pas. Il n'existe aucune garantie de succès, à moins peut-être d'être nées riches.

Alors - une fois que nous avons comblé nos besoins de base de nourriture et de logement grâce à notre travail - il n'est d'aucune utilité de le faire pour les récompenses pécuniaires.

Il vaut mieux être passionnées envers le travail lui-même.

Ainsi, si le succès nous ignore, nous aurons par contre beaucoup de plaisir (si ce n'est de l'argent) tout au long des jours.

24 SEPTEMBRE

LA RECHERCHE DE DIEU

Certaines femmes recherchent Dieu à l'église. D'autres considèrent que les institutions religieuses sont des camisoles de force qui limitent leur relation à Dieu parce l'image de Dieu qu'elles offrent est tout à fait étrangère à leur nature.

Le poids des attentes et de l'orthodoxie se fait parfois trop grand, et nous devons quitter l'église temporairement, ou de façon permanente.

De plus, «l'église» est toujours spécifique. À moins de vivre dans une ville assez grande pour y trouver plusieurs églises, nous sommes à la merci de la façon dont elle existe dans son expression locale.

Si la congrégation locale est paternaliste et porte des jugements catégoriques, et que son image ne fait pas de place aux femmes, cela sera difficile pour nous d'en faire notre maison spirituelle - même si nous savons qu'il y a ailleurs des congrégations qui respectent et démontrent de l'affection envers les femmes.

Il y a cependant de l'espoir. Peut-être réside-t-il dans cet équilibre interne qui se fait constamment chez les êtres humains. Lorsque nos âmes ne sont pas nourries, nous devenons agitées et nous cherchons notre alimentation ailleurs.

Nous échangeons.

Nous essayons les cristaux, le toucher thérapeutique ou les rêves. Nous lisons au sujet des anges.

Certaines riront à cette lecture. D'autres diront que c'est dangereux.Bien sûr que ça l'est. Toute quête, incluant celle de la foi, constitue toujours une aventure héroïque.

Il y aura des voix trompeuses qui nous ensorcelleront au cours du voyage.

Mais chaque héroïne rencontre éventuellement de vraies amies qui l'accompagnent et qui l'aident à discerner la vérité.

25 SEPTEMBRE

LES RÊVES

Je n'ai jamais entendu un rêve, de qui que ce soit, qui n'avait pas quelque chose à m'enseigner. Lorsque des femmes travaillent ensemble sur les rêves, il y a une certaine facilité à se glisser dans les rêves d'une autre.

Les femmes ont tellement en commun entre elles, comme les hommes entre eux d'ailleurs. Par contre, il est également très facile de nous projeter nous-mêmes dans le rêve d'une autre femme et d'en prendre le contrôle, y voyant nos propres problèmes, en le faisant nôtre, présentant une interprétation qui serait appropriée pour nous-mêmes mais pas pour elle.C'est pourquoi la présence des hommes dans un groupe de travail sur le rêve peut s'avérer une aide utile. Ils savent qu'ils se retrouvent en territoire étranger dans le rêve d'une femme. Ils font preuve de prudence.

Et à l'occasion - issue de ce que Jung appelle leur anima, leur propre aspect féminin - ils poseront la question innocente et naïve qui aide à trouver un sens à tout cela.

26 SEPTEMBRE

LES NOMS

Dans certaines communautés autochtones, on ne donne pas son vrai nom à une enfant jusqu'à ce que les Anciens l'aient observée pour découvrir sa vraie nature.

Il y a de la sagesse en cela.Le nom qu'on nous donne est important. Le travail qu'entreprennent les nouveaux parents en dressant des listes de prénoms et en cherchantdans des livres est une affaire sérieuse.

Nommer son enfant du même nom qu'un grand-parent est un geste significatif. Un nom renferme un esprit sur lequel l'enfant doit compter au cours de sa croissance.

27 SEPTEMBRE

LE SAINT-ESPRIT

Lorsque nous nous sentons cyniques envers les politiciens en particulier, et les institutions en général - et il existe une infection répandue de cynisme - c'est réconfortant de se rappeler que nous ne sommes pas dirigées par les Conservateurs ou les Libéraux, les Réformistes ou les Nouveaux-démocrates. Nous sommes dirigées par Dieu.

Et Dieu nous dira certainement quoi faire et nous donnera la passion nécessaire pour y parvenir.

28 SEPTEMBRE

JÉSUS

J'aime beaucoup l'enfant Jésus. Le bébé n'attend que très peu de moi, uniquement que j'écoute le chant des anges et que je tende la main à un berger affamé. L'homme mature, c'est une autre histoire.

Il me commande d'aimer mes ennemis. Quand je lui dis que ce commandement rend la vie trop ardue, il m'amène au lac. Il y a du sable et des roseaux, et je peux apercevoir un huard au loin où l'eau est profonde, pressant ses petits au travers des vagues.

Il m'offre la main. «La vie n'est pas du tout difficile», dit-il. «Viens.» Je lui prends la main et nous marchons jusqu'au huard, dans un état de pur émerveillement.Rien n'est impossible avec Dieu.

29 SEPTEMBRE

L'AUTOMNE

C'est l'automne et nous préparons le jardin pour l'hiver. J'ai conservé quelques géraniums pour qu'ils fleurissent sur le rebord de la fenêtre pendant l'hiver, comme un porte-parole du printemps, de la vie, de la venue du règne de Dieu.

Mon mari déplace de pleines brouettes de feuilles, se rend jusqu'au tas de composte avec les pelures des légumes d'aujourd'hui.

Nous avons confiance que le *Shalom* - ce temps lorsque la terre sera guérie et entière - dépend du travail énergétique des formes de vie que nous pouvons à peine voir.Le tas est devenu imposant. Bientôt viendra la neige et la terre s'endormira.

Et je récite une prière pour remercier Dieu de qui nous nous rapprochons. Oui, et de la terre aussi.

30 SEPTEMBRE

LES VILLES

Comme plusieurs qui ont grandi dans de petites municipalités, je me méfie de tout endroit trop vaste pour qu'on s'y déplace à pied ou en bicyclette.

Mais j'aime les édifices ingénieux la ville - particulièrement les maisons, à la fois celles qui sont belles et celles qui sont étrangement personnalisées.

Et j'aime la façon dont la verdure ressort dans la ville, planifiée, ou dans des espaces vagues qui se couvrent de robustes mauvaises herbes quand personne n'y fait attention.

La première fois que je suis allée à Toronto, je regardais dehors à partir de ce qui constituait à l'époque un point de vue avantageux, l'hôtel Park Plaza, et je m'émerveillais de la forêt urbaine.

J'aime la complexité, un millier de communautés s'interpénètrent et interagissent.

J'aime les quartiers. Certains théologiens affirment que la ville est sacrée, que ces rues achalandées sont sacrées au même titre qu'un lac paisible.

La ville est autant une réalisation des créatures chéries par Dieu que le sont les fourmilières et les ruches - par conséquent, bien-aimées pareillement.

OCTOBRE

1ER OCTOBRE

L'ÂGE ADULTE

Ma mère est courageuse. Elles se plaint de son arthrite et de son estomac fragile mais jamais de sa vue chancelante. Elle vit avec cela en démontrant la même détermination qui la fait insisterà vouloir tout lire sur les étiquettes, la même fierté qui lui ferait reprendre joyeusement tout le dos d'un chandail nouvellement tricoté.

Nous pouvons nous rencontrer comme des adultes, si je ne suis pas trop distante, en train de me protéger, de dénier. Et si je peux surmonter ma culpabilité parce que je ne lui rends pas visite à chaque jour, comme elle le faisait pour sa mère, peut-être pourrai-je aussi apprendre ce courage.

Mères et filles sont reliées l'une à l'autre par la culpabilité et l'amour. La première, avec grande difficulté, peut être enrayée; le second, jamais.

LE DIALOGUE INTÉRIEUR

Se parler à soi-même ne fait pas bonne impression, mais ça reste quand même une bonne idée.

Toute image de rêve, tout personnage qui persiste à entrer dans votre esprit, que vous soyez endormie ou éveillée, peut prendre part à une conversation fructueuse.

Ça a l'air banal : «Les gens que nous rencontrons font partie de nous.»

Toutefois, comme plusieurs dictons qui font partie du vocabulaire de tous les jours, celui-là possède une vérité qui s'obscurcit du fait de l'usage quotidien.

Nous pensons aux gens, rêvons des gens parce que quelque chose en eux a une signification pour nous, représente quelque chose qui agit en nous.

Ils deviennent une façon pour nous d'identifier des aspects de nous-mêmes que nous ne verrions pas autrement. J'avais l'habitude de rêver aux Nazis.

L'énergie qu'ils investissaient dans la poursuite tragique de la perfection absolue, le mal qui les consumait, représentait aussi des risques dans ma vie.

Je ne pouvais rien voir jusqu'à ce que mes rêves choisissent ce moyen pressant de véhiculer le message.

J'essaie maintenant d'être plus douce envers moi-même. Je permets à mon jardin de pousser quelques mauvaises herbes; mes enfants, mon époux et moi-même pouvons avoir des imperfections. «Ce n'est pas vous qui êtes au pouvoir ici», dis-je aux Nazis en dedans. «Foutez le camp!»

Mais je reste sur mes gardes. Ils pourraient revenir.

3 OCTOBRE

LES ENCADREMENTS

Nous sommes plusieurs qui allons au travail et qui nous installons devant l'écran de notre ordinateur. Nous conduisons vers la maison en regardant au travers d'un pare-brise. Dans la soirée, nous nous assoyons devant l'écran de télévision. Parfois nous y surveillons les bulletins de la météo plutôt que de sortir dehors et de regarder le ciel.

Nos journées sont encadrées et illuminées pour nous. Tout est vu à travers du verre, délimité, circonscrit, défini.C'est une bonne idée de faire un jardin, aussi sauvage et indéfini que possible.

4 OCTOBRE

LA FOI

Chacune d'entre nous crée sa propre foi pour elle-même. La chrétienté, par exemple. Il existe de fait autant de chrétientés qu'il existe de chrétiens. Elles ont toutes Jésus en commun. Mais sa propre question «

Qui dites-vous que je suis ?» obtient une multitude de réponses, pas toutes compatibles les unes avec les autres : frère, ami, sauveur, Dieu, rédempteur, serviteur, sacrifice,révolutionnaire,

roi.Nous avons chacune notre réponse à cette question et notre propre compréhension du sens de la réponse.

Et puis nous ajoutons d'autres éléments à notre foi, en construisant un corps de croyances à partir des hymnes et des chants folkloriques, des versets de la Bible, des histoires entendues à l'église et des choses que nous ont racontées nos grands-parents.

Si nous avons de la chance, notre foi est aussi faite de longs après-midi passés dans un hamacà à regarder les arbres, et de discussions avec des personnes que nous admirons. Certaines sont assez chanceuses pour avoir des visions qui ajoutent à l'édification de la foi.

Et la manière dont nous sommes traitées par des chrétiens lorsque nous nous sentons vulnérables aident à former notre foi, d'une façon ou de l'autre. Nous ne pouvons jamais assumer, quand nous parlons de Dieu, que tout le monde pense au même Dieu. Cela rend la vie intéressante, mais parfois difficile.

5 OCTOBRE

L'OBÉISSANCE

Les femmes - les mères, en particulier - ont besoin de cultiver une estime de soi stable.

Avoir une solide perception de soi-même veut dire que nous sommes capables de faire face aux enfants lorsqu'ils nous confrontent sans devenir trop vexée. Les mères désirent que leurs enfants soient capables de se tenir debout en tant qu'adultes. Nous voulons qu'ils soient capables de dire non à toute personne en position d'autorité qui veut prendre avantage de leur manque de pouvoir.

Quand nos enfants sont très jeunes, il fait partie de notre rôle de mère de les préparer pour le temps où ils auront à naviguer, ou à se débrouiller seul, au sein d'une culture qui leur présente bien des dangers.

Ce n'est pas l'obéissance, mais la clarté d'esprit et la coopération intelligente qui sont requises.

La résistance, le questionnement et une définition claire des limites sont de bonnes choses pour nous, et pour nos enfants.L'obéissance est une vertu hautement surévaluée chez les femmes et les enfants.

6 OCTOBRE

LE NETTOYAGE

Octobre représente le mois tranquille en ce qui a trait au nettoyage du jardin. Les dernières annuelles ont été retirées et jetées dans le tas de compost.

Les pots de grès ont été rangés. Un buisson maintenant dégarni de ses feuilles révèle, sous une branche, les cisailles que nous avions perdues en juin.Les vivaces - surtout celles qui ont été divisées en septembre et qui ont l'air moche - voient leur feuillage proprement taillé.

Les feuilles sont râtelées, sauf celles qui se trouvent sur les parterres des fleurs à l'avant où elles sont laissées pour protéger les plantes des abrasifs de la rue.Tout est ordonné et paisible.

En attente. Octobre est un temps exquis. Tout est ramené à des formes fortement marquées. L'hiver adoucira les lignes dures, mais maintenant nous pouvons voir l'essence du jardin.

Nos âmes réclament ce calme doux après les six derniers mois de vive agitation.Beaucoup de joies - pas seulement celles reliées au jardin - sont présentes dans ce souvenir.

7 OCTOBRE

ET SI ?

Il est bon d'encourager les femmes à avoir foi en leur propre façon de penser.

Nous avons passé de trop nombreuses années à écouter les autres, et nous avons le droit de faire finalement confiance à notre propre sagesse.

Toutefois, la conviction trop ferme de la justesse de ce que nous pensons peut rendre difficile de s'en détacher.

Et il n'y a aucune véritable sagesse sans que nous chamboulions et secouions notre vision du monde.

C'est comme ces petites figurines enneigées dans des bulles de verre, vous les retournez et une tempête se lève.

Au bout d'un certain temps, les choses se calment évidemment, mais vous avez vu que le monde peut être tout autrement.

8 OCTOBRE

LE CHANGEMENT

Nous ne pouvons pas rendre différents les gens que nous aimons. Nous ne pouvons pas les changer. Nous ne pouvons pas rendre parfaits ni notre époux ni nos enfants.Dieu peut les transformer certes, s'il le désire, et au moment qu'il juge opportun.

Mais les idées de Dieu sur la perfection et les nôtres sont remarquablement différentes. En fait, Dieu (étant leur Créateur) peut sentir que les enfants et l'époux dont vous êtes choyés sont très bien comme ils sont.

Nous pourrions travailler à nous changer nous-mêmes, si nous le souhaitons. Mais Dieu peut aussi nous aimer telles que nous sommes.

9 OCTOBRE

TROUVER DU BOIS

Aujourd'hui nous avons bûché le pin tombé au travers du sentier,Abattu le bouleau qui avait l'air mort.(Mais qui ne l'était pas tout à fait.)

Nous avons marché le long du chemin en ramassant du bois,les morceaux tombés des camions forestiers; notre amour nourrit par le feu, non par les roses.

ÈVE ET LES POMMES

J'aime le magasin de produits frais. De belles pyramides de pommes de terre et de poivrons, de tomates et de concombres, de courges et de brocolis, d'oranges et de bananes.

Et de pommes, fraîches et croquantes durant toute l'année, grâce au miracle de l'entreposage moderne.J'achète toujours des pommes.

J'emplis mon sac de McIntosh et parfois de *Northern Spies* si je fabrique des tartes.

Et je pense à Ève, punie à cause d'une pomme. Je les place, polies et reluisantes, dans mon sac, et là dans le magasin, je célèbre le courage d'Ève et je salue les choix qu'elle a faits : la connaissance plutôt que l'ignorance, le risque plutôt que la soumission.

La vie réelle, avec tous ces choix compliqués et toutes ces souffrances, plutôt que l'innocence perpétuelle à l'abri des soucis.Et ensuite, je vais acheter des pommes de terre.

11 OCTOBRE

TARTE FRANÇAISE AUX POMMES

Préparez de la pâte pour une tarte que vous déposez dans un moule à tarte de 9 pouces (22.5 cm). Mélangez :

3/4 tasse (100 g) de sucre,
1 cuillère à thé comble
(25 g) de cannelle ou de muscade,

et 6 à 7 tasses (1.4 kg à 1.6 kg) de pommes coupées en tranches.

Disposez le tout dans la croûte à tarte.

Ajoutez 12 cuillères à table (50 g) de beurre.

Recouvrez légèrement avec le mélange granuleux de 2 tasse (100 g) de beurre, 2 tasse (50 g) de cassonade (bien tassée) et 1 tasse (200 g) de farine.

Faites cuire au four à 400 °F (200 °C) durant 45 à 55 minutes.

12 OCTOBRE

LA TRISTESSE

Nous ne devrions pas essayer de nous sortir de nos journées moroses avant qu'elles n'aient eu la chance de nous apprendre ce qu'elles veulent que nous sachions.

Elles tentent peut-être de nous dire que nous nous ennuyons d'une amie qui a besoin d'un coup de fil. Il y a peut-être un léger tiraillement de rage qui demande à être reconnu.

Ou peut-être y a-t-il quelque chose que nous devons faire : écrire un poème, aller planter sa tente, monter à cheval ou cueillir des fleurs.Prozac et ses semblables sont des cadeaux de la vie.

Mais nous ne devrions pas nous laisser attirer par un contentement prématuré.

L'ORGUEIL

Si vous alliez à certaines églises, vous assisteriez à une confession générale des péchés au début de la cérémonie.

C'est là une démonstration de sagesse. Dieu peut certainement composer avec nos troubles, et nous nous sentons mieux si nous en parlons à quelqu'un.

Le péché d'orgueil est, dans plusieurs églises, un élément important de cette confession. Plusieurs femmes ont de la difficulté avec cela et elles ont leur raison.

Le manque de confiance en elles-mêmes représente plus un problème pour les femmes que l'arrogance, et le retrait de nous-mêmes est davantage notre habitude que la vantardise.

Mais un item. Juste au cas. Une grande partie de l'humanité a pensé pendant de nombreuses années qu'elle avait le contrôle sur toutes les autres créatures.

Il s'agit là d'un orgueil exacerbé. Nous ne sommes qu'un animal parmi les autres : habile avec nos mains et prompt du cerveau, mais prédisposé aux maux de dos et aux névroses.

Peut-être les femmes savent-elles déjà tout cela. Mais si ce n'est pas le cas, si nous pensons être au-dessus de la Création, et non en elle, notre mort éventuelle aura l'apparence d'une terrible surprise.

14 OCTOBRE

ÉCRIRE

Les meilleurs textes surgissent des ténèbres; nous avons toutes appris cela depuis que Satan tenait le rôle principal dans *Paradise Lost* (Le paradis perdu). L'énergie refoulée dans les niveauxles plus profonds de l'inconscient surgit tel un train d'un tunnel lorsqu'elle est libérée sous la forme des mots.

Et mettre des choses par écrit est source de guérison pour l'âme. C'est reconnaître ce qui était caché, moribond, et lui donner une voix , le ramener à la vie.

La tenue d'un journal personnel remplit très bien ce rôle, particulièrement au début. Mais l'écriture finit par réclamer un public.

Les êtres humains souhaitent se parler entre eux; il s'agit d'une pulsion aussi ancienne que le sont les dessins sur les parois des cavernes.

Nous sommes reliées les unes aux autres par notre besoin d'une réponse humaine.

15 OCTOBRE

L'ÉCRITURE

Les écrivains ne révèlent pas; c'est là une règle aussi vieille que l'est le métier lui-même.

Ils indiquent. Même l'essai le plus éloigné de la fiction exige que l'évidence surgisse de son propre chef. L'écriture se crée à partir d'images et de morceaux issus de conversations judicieusement choisis pour traduire ce que souhaite l'auteur, sans le dire.Nos pensées sont toujours offertes, non pas imposées. Ces dernières sont seulement lues avec un plaisir masochiste par ceux et celles qui se faisaient crier par la tête à chaque fois qu'ils s'assoyaient pour lire, et qui abordent maintenant cette activité comme si elle était dépourvue d'humour.

16 OCTOBRE

L'ENVIE

L'émotion la plus difficile à affronter est liée à ce sentiment déchirant, et rarement admis, que nous ressentons quand une personne reçoit ce que nous désirons et que nous n'avons pas.

Mais nous sommes humaines et l'envie, dans toute sa complexité et avec son emprise, est la plus humaine des émotions.

Ce dont nous avons besoin ici, c'est de faire preuve d'indulgence envers nous-mêmes.

Cela peut aider de se rappeler que chacune d'entre nous a sa propre danse, sa propre vie.

Nous ne pouvons vivre celle de personne d'autre, aussi charmante semble-t-elle.

17 OCTOBRE

LA RELIGION

Il nous arrive parfois de penser que nous ne pouvons être affublées de plus d'une étiquette à la fois. Mais nous le pouvons. Je suis celte, chrétienne, et reconvertie au paganisme en même temps.

Cela me vient du fait de jardiner, je suppose. Chaque plante et chaque arbre est habité d'un esprit qui lui est propre, et ces esprits méprisent l'idée d'avoir à vénérer le dieu d'un seul peuple.

18 OCTOBRE

LES MESSAGES

Lorsque mon ordinateur m'a lâché l'autre jour - j'avais presque terminé un long et imposant article, et j'étais en retard - un ami me témoigna toute sa sympathie. «Et qu'est-ce que ça te dit, le fait qu'il te lâche ?», demanda-t-il. Il est toujours en train d'essayer de me convaincre de boire moins de café et aussi, de me reposer davantage.

«Rien», ai-je grogné.Mais il a raison, bien sûr. Parfois,l'univers, ou Dieu, nous envoie un message. Si nous n'entendons pas,Dieu brise la lessiveuse, rend l'ordinateur hors d'usage.

Seulement un peu plus longtemps, Dieu. Je te le promets.

19 OCTOBRE

LA COMPENSATION

Un ami qui travaille pour l'armée me faisait remarquer il y a des années, en secouant la tête, que pour une gentille femme, j'allais voir pas mal de films violents. (Nous discutions à ce moment-là du film d'Oliver Stone, *Full Metal Jacket*.

Nous autres, les «tripeuses» de la gentillesse, avons besoin de profondeur pour équilibrer notre charme. Quand une grande partie de notre vie est vécue de manière bien civique, quelque chose en nous veut signifier qu'il est encore vivant.

Et comme les chansonnettes qui nous viennent de l'époque de la peste, «Va, va, nous mourons tous», c'est là une façon de défier la terreur qui nous entoure, en la réduisant en un matériel de celluloïd maniable.

20 OCTOBRE

LE TYPE DE PERSONNALITÉ

Dans notre chambre à coucher, il y a un large pan de plafond tout humide. Il commence toutefois à sécher et bientôt nous le ferons peindre. Mais le toit a coulé, en ce même endroit, pendant plusieurs mois.

La raison en est que ce sont deux personnes de type intuitif qui dirigent, possèdent et entretiennent cette maison.

De type intuitif-sensitif, pour être exacte. Les différences existant entre époux et épouse vous mettent parfois à l'épreuve;par contre, les ressemblances peuvent être carrément dangereuses. Le plafond aurait bien pu tomber sur nos têtes.

Comme intuitifs, nous avons tous deux la grâce de cette formidable capacité de vivre «comme si». Cela mène au triomphe de l'optimisme sur la réalité nous regardions s'agrandir cette tache au plafond et l'imaginions disparue.

Et de fait, lorsqu'il ne pleuvait pas, elle était disparue. La peinture soulevée n'était qu'un menu détail qui - nous disions-nous - ne s'empirerait probablement pas.Puis nous poursuivions notre quête du sens de la vie, ce qui correspond à la façon dont les personnes intuitives préfèrent passer leur temps.

Il a fallu les pluies abondantes d'automne pour mettre en évidence notre erreur.Le réparateur du toit est venu et il est reparti. Et nous ferons repeindre le plafond, bientôt...

Là où nous sommes semblables, nous les femmes et nos amis, s'avère une source d'agrément. Mais les différences sont parfois nécessaires pour que nous nous complétions.

21 OCTOBRE

S'ADONNER

Bien s'adonner au sein d'un mariage n'est pas rendu possible à cause de l'amour. L'amour aide au cours de la première période, quand l'autre est parfait et que tout ce qu'il désire est tout à fait correct, entièrement correct.

Mais plus tard, l'amour ne vous aide pas du tout à bien vous entendre. Les personnes qui s'ai-

ment beaucoup peuvent discuter ensemble jusqu'au jour de leur divorce.

Ce qui fait qu'un mariage ou que toute autre relation fonctionne, c'est le respect. L'amour leur procure l'excitation et la joie et constitue une nécessité absolue. Mais c'est le respect qui fait que ça marche.

22 OCTOBRE

PRENDRE DE L'ÂGE

Mon amie a rêvé qu'elle gravissait une colline et qu'elle y découvrait une femme attrayante, d'environ soixante ans, en train de balayer du sable.

Cette femme était vêtue d'une robe médiévale et vivait seule dans une petite roulotte stationnée non loin de là. Nous parlions de ce rêve à l'intérieur de notre petit groupe.

Les gens posaient doucement des questions, suggéraient des associations (Était-elle une sorcière ? Était-elle un gitane ?), se demandaient si la solitude et l'isolement avaient quelque chose à voir. Puis nous avons commencé à examiner la roulotte.

«De quelle grandeur était-elle ?», demanda l'une d'entre nous. «Ah, à peu près 40 pieds X 10 pieds», répondit-elle tout bonnement et avec cette certitude qui appartient parfois à un rêve. «Et si tu additionnes ces deux chiffres, qu'est-ce que ça donne ?» «Cinquante», dit-elle.

«Et quel âge as-tu ?» fut la prochaine question. «Cinquante», admit-elle.Il y eut un grand éclat de rire de reconnaissance, de pur plaisir face à ce pouvoir de découverte des rêves.«Et à quoi

ressemblerait la vie au «moyen âge» ? s'informa une des femmes qui avait accordé une attention particulière au mot «médiévale» qu'elle avait entendu.

Encore là, un cri de joie de tout le groupe. Les rêves sont pleins de jeux de mots et de jeux de nombres...

23 OCTOBRE

AVANCER EN ÂGE

... Finalement, alors que le groupe attendait fébrilement et silencieusement, mon amie ferma les yeux et entra dans la roulotte, en nous disant ce qu'elle voyait telle une exploratrice sous-marine transmettant des informations à la surface.Au premier abord, elle ne voyait rien.

Puis progressivement, elle commença à apercevoir d'épais coussins et de beaux tapis, présentant de riches reflets de bourgogne et de vert, puis un chandelier de cristal - tout était en contraste avec le désert qu'elle avait balayé dehors avec patience et non sans plaisir.

Nous avons longuement parlé du rêve de mon amie, abordant l'idée de Jung selon laquelle l'âge moyen est la période où les gens sont amenés à découvrir la richesse de leur vie intérieure. L'absence d'une toilette, d'un évier ou d'un poêle dans la roulotte constitue un symbole dans sa vie.

Il n'en est nul besoin; la vie intérieure dont il est question concernant l'esprit et non le corps. Il s'agissait d'un rêve riche en signification pour une femme dont toute la vie a été tournée vers l'extérieur, mais l'étape du demi-siècle l'invitait à un nouveau voyage dans les profondeurs de sa propre et belle personne d'âge moyen où le pouvoir de guérison non pas d'un cristal, mais de tout un chandelier, l'attendait.

Cela arrive à plusieurs d'entre nous au moment de la ménopause. Nous commençons à équilibrer notre vie de travail, d'entretien domestique et de soins aux autres, avec notre propre développement spirituel.C'est le temps.

24 OCTOBRE

LE PÉCHÉ

Les femmes n'héritent pas du péché. Pas en venant d'Ève et de sa pomme, en tout cas. Mais peut-être d'un temps plus rapproché et partagé avec les hommes.

Mes ancêtres dans la foi étaient tellement sûrs d'avoir la vérité quand ils sont venus dans ce pays.

Pendant cent ans, ils ont dirigé des écoles pour les enfants amérindiens. Les enfants vivaient sur place de manière à ce qu'on en fasse plus facilement des

Canadiens comme les autres. Les écoles étaient supportées financièrement par le gouvernement, mais pas tout à fait convenablement et - notamment au cours des premières années - elles étaient terriblement populeuses et la tuberculose y sévissait tel un ange de la mort.

Les enfants souffraient de la faim, étaient mal vêtus, battus s'ils parlaient leur propre langue et parfois, ils étaient abusés sexuellement. C'est ce que je peux trouver de plus rapproché, pour le

moment, du péché originel. Je ne peux pas m'esquiver du fait que je suis canadienne et chrétienne.

J'ai hérité de ce pays qui renferme les plus grandes beautés naturelles de la terre, hérité de cette foi qui me garde intègre.

Toutefois j'ai aussi, collectivement avec les autres citoyens, hérité de ce péché.

25 OCTOBRE

LES GRANDS ESPACES

Il arrive parfois que nous devions nous avancer sur un territoire inconnu, au cœur de l'ambiguïté.

Nous devons vivre en ne percevant pas la vérité dans une situation donnée, et en ne comprenant pas ce qui serait la bonne chose à faire. Nous ne devrions pas avoir à vivre continuellement dans cet état inconfortable.

Mais en sortir demande du temps. Nous avons besoin de recourir à tout notre potentiel humain de discernement, d'ouverture aux conseils, d'évaluation d'exigences conflictuelles et de transaction avec l'autorité - mais sans s'y soumettre aveuglément.

Nous avons l'évangile qui peut nous aider. Comme tout autre grand récit cependant, il peut contenir des vérités contradictoires. Nous avons donc à souffrir de la terreur de ne pas être certaines de ce qui est à faire pendant que nous attendons qu'il nous parle - de même que la prière, nos amies et notre propre expérience.

Cette frayeur ne peut être dissipée trop rapidement. Nous avons à nous asseoir un peu avec

elle, et cela s'avère plus difficile pour certaines d'entre nous que pour d'autres.

Ça aide s'il y en a d'autres avec nous; nous pouvons alors attendre ensemble que la clarté se fasse.

26 OCTOBRE

LA COMMUNION

Ces mots sont toujours là. «Ceci est mon corps, livré pour vous. Ceci est mon sang, versé pour vous.» Le pain est distribué, puis le vin.Je n'ai pas d'idée de ce qui se passe ici, aucune idée.

C'est un mystère et je suis pleine d'admiration. Des gens que je connais bien, qui sont mes amis, distribuent de petits plateaux remplis de pain et de petits gobelets de vin. Ils sont solennels, soigneux, comme des enfants portant un gâteau de fête.

Dans le chœur nous chantons :«Mangez ce pain et vous n'aurez plus faim,buvez ce vin et vous n'aurez plus soif,le Christ nous invite à la tableoù le dernier sera le premier.»* Toute cette attention pour un petit morceau de pain.

Un infime morceau du monde abîmé - et en même temps - un symbole du monde guéri par l'amour de Dieu. Qui pourrait savoir ce que cela signifie ? Qui pourrait jamais comprendre ce qu'est l'amour ? Je n'en ai pas idée. Je sais seulement que ces gens ici, mes amis et moi, sommes - pour un bref moment, en ce dimanche matin frisquet d'automne - entiers.

* Extrait de «Eat this Bread and never Hunger», paroles et musique de Daniel Charles Damon. © 1993, Hope Publishing.

LE TRAVAIL

Nous avons le droit, en tant que femmes,de nous laisser parfois complètement absorber par notre travail. Je suis récemment sortie d'une difficile série d'échéances en me rendant compte que j'avais été absente dans ma propre maison.

Le réfrigérateur était dans le même état que lorsque je suis partie pour une période de temps. Mal aimé.

Et personne n'a jeté les fleurs mortes; elles étaient encore dans leurs vases dans toute la maison.

Mais ce sont là mes obsessions après tout : les coussins disposés d'une certaine manière, des fleurs partout, de la nourriture.

Les gens avec qui je vis ont leurs propres obsessions, alors je ne leur faisais pas de reproches. Je suis seulement stupéfiée de voir à quel point le travail peut m'accaparer.

La vie des femmes est plus complexe et plus riche, même que la plus fascinante des carrières.

De plus, nous savons enfin qu'il est de notre droit - autant qu'il en est du droit des hommes - de nous donner au travail que nous aimons.

28 OCTOBRE

LES RITUELS

Il arrive parfois qu'une intuition liée à un rêve réclame un rituel. Lorsqu'un rêve m'avait indiqué un déséquilibre entre ma vie passée à la maison et ma vie passée à l'extérieur, la famille et la carrière, je suis allée acheter du papier peint pour la cuisine.

Un rituel aussi simple que celui de poser de la tapisserie. Aucune incantation (mis à part ce qui vient quand il s'agit de poser l'inévitable pièce difficile); aucun encens (excepté ce qui accompagnent les premières rôties brûlées). Simplement aller au magasin et commander ce papier, vert foncé comme un jardin et couvert de pommes. Je deviendrai Ève dans cette cuisine, pelant et découpant le fruit de l'Arbre en tartes, en compote de pommes et en croustades, distribuant les secrets de la vie. Les menus rituels domestiques ont le pouvoir de procurer l'équilibre à une vie qui n'en a pas.

29 OCTOBRE

LE COURAGE

Une fois j'ai rêvé qu'une voix venue du ciel disait «Je vais t'achever maintenant», et une tige d'acier m'était plantée dans le dos.

Ce n'était pas un rêve plaisant. Mais je pense qu'il s'agissait d'un bon rêve.J'ai prié toute ma vie pour avoir du courage, comme le lion peureux.

Mais jamais il n'y avait de magicien sur mon chemin, jusqu'à cette voix. Je pense que c'était le jour (ou plutôt la nuit) où Dieu a décidé que - telle un belle pièce d'ameublement ou une débutante à la fin de l'école - que je pouvais aussi bien être complétée.

On me donna une colonne vertébrale en acier trempé.Je ne plie pas autant à la moindre brise comme je le faisais avant; je vieillis et je vois plus clairement qui je suis. Et quand je ressens de la peur, je remémore ce rêve à Dieu.

30 OCTOBRE

L'IDENTITÉ

Nous ne choisissons pas totalement notre identité. Nous pouvons en changer certaines choses, mais la majeure partie, nous ne le pouvons pas. Je suis née dans le nord de l'Ontario et élevée dans la religion chrétienne protestante.

Je suis par conséquent canadienne, et chrétienne jusqu'aux os. Certes, je pourrais déménager aux États-Unis, renoncer à ma citoyenneté, débuter une nouvelle vie.

Mais j'ai étendu mon sac de couchage sur le Bouclier canadien, et j'ai senti le caillou que je n'avais pas remarqué auparavant me creuser la hanche pendant toute la nuit.

Ce caillou, la mémoire de mon corps le transporte. Comme le sont les lacs. J'ai plongé, une enfant lourde et malhabile, dans l'eau claire et me suis sentie gracieuse pour la première fois en nageant. Comme si j'étais enfin arrivée chez moi. J'appartiens pour toujours à cette eau.

Et puis, je suis aussi protestante et chrétienne. Certes, je pourrais renoncer à l'église. Je pourrais dire qu'elle est trop timorée alors que des enfants ont faim; trop aux prises avec son insécurité institutionnelle; trop fréquentée par des gens incertains et troublés comme je le suis.

Mais je me suis assise de trop nombreux dimanches matins dans l'église où j'ai sentie monter les larmes parce que mon âme était touchée.

On m'a aimée. J'ai vu Dieu à un baptême dans un bébé qui pleurait alors qu'il était soulevé, à un mariage, au rassemblement peu enthousiaste de gens endeuillés par la mort de leur ami. Cette identité coule dans mes veines et ne peut être transfusée.

31 OCTOBRE

LES MASQUES

Aucune d'entre nous ne peut appréhender le monde sans une sorte de masque ou de rôle. Pensez à une patiente et à un médecin.

Si ce dernier (ou cette dernière) ne revêt pas complètement son rôle de médecin, un examen général pourrait être ressenti comme une invasion injustifiée du corps.

Ou une journaliste de reportage. Je pars généralement en mission un peu tracassée par tous les préparatifs, me demandant si les gens me feront confiance au sujet de leur histoire.

Toutefois, dès que je monte dans l'avion quelque chose se produit. «Mère» et «épouse» se mettent en veilleuse et je deviens une journaliste, confiante, en majeure partie centrée, capable de prendre votre photo et de comprendre ce que vous dites.

Le problème surgit seulement lorsque la «journaliste» (ou la femme médecin, la ministre du culte ou la politicienne) pense que c'est tout ce qu'elle est, quand le masque prend une telle envergure qu'il croit être devenu la personne entière.

Dans mon cas, ça veut dire que je commence à faire des entrevues avec les gens au cours de soirées de détente.

Nul rôle, peu importe dans quelle mesure le monde lui accorde son approbation, ne peut englober tout l'être humain.

NOVEMBRE

1ER NOVEMBRE

L'ART ENFANTIN

Chaque réfrigérateur devrait être décoré de dessins d'enfants. Parce que c'est de l'art. C'est unique. Les adultes ne peuvent en faire autant.

Et cela nous est donné : de l'art pour le seul amour de l'art. Les enfants demandent bien rarement une rétribution pour leurs efforts.L'art des enfants fait, en silence, une déclaration toute particulière au sujet du propriétaire du frigo.

Elle affirme que cette personne respecte les enfants. Elle possède ce genre de spiritualité qui rend hommage aux plus vulnérables.

Elle aime l'honnêteté dont font preuve les enfants. Et elle comprend que la partie la plus vulnérable en nouscomporte de la valeur et mérite d'être protégée.

Le réfrigérateur qui expose l'art des enfants appartient à une personne sage qui sait reconnaître la présence d'une rencontre avec l'âme - en elle-même, en un autre adulte ou en un enfant.

Nous nous faisons connaître par les choses qui nous sont précieuses.

2 NOVEMBRE

CUIRE LE PAIN

L'activité la plus spirituelle que je réalise est la fabrication du pain. Je mélange la levure avec l'eau et l'observe commencer son travail.

Ce qui semblait mort est vivant. Peut-être est-ce ce petit miracle qui m'émeut; je ne sais pas. Puis j'ajoute la farine et je pétris la pâte pendant un long moment.Pendant le pétrissage je me sens reliée à ma grand-mère.

Elle faisait son pain. Ce grand bol blanc lui appartenait.Et je me sens en lien avec ce champ où cette farine se trouvait sous la forme de grains.

Peu importe les herbicides; je suis au courant de tout ça et je choisis de l'ignorer, je choisis de croire que cette farine vient d'un cultivateur qui laissait pousser l'avoine sauvage au travers du blé.

Je sens travailler les muscles de mes épaules, je prends plaisir à la force de mes mains, plaisir à nourrir des gens. Pas étonnant que Jésus a adopté ce symbole pour lui-même. Et avant lui, il appartenait à Déméter, la déesse de la récolte, la

mère des céréales.Je me rappelle ces choses dans ma petite cuisine du vingtième siècle pendant que j'enfonce mes mains dans la pâte épaisse et douce.

De vieilles histoires refont surface en moi, me rapprochant de deux disciples, stupéfaits de s'apercevoir qu'ils sont en train de partager le pain avec le Christ ressuscité; et de la joyeuse végétation sur la terre, la croissance du grain quand revient

Perséphone, la fille perdue de Déméter. Je deviens tout entière en faisant du pain.

3 NOVEMBRE

L'INTUITION

Nous sommes parvenues à faire confiance à nos façons d'en connaître davantage, aux façons des femmes.

Il est apparu récemment une légère tendance qui favorise autant l'intuition que la raison. Et nous sommes moins disposées à faire confiance aux experts, plus enclines à voir ce que notre propre intériorité nous apprend.

Cela devrait susciter plus de respect à notre égard. C'est l'intuition qui, après tout, nous informe de la raison pour laquelle le bébé pleure.

Et quand l'enfant grandit, ce sont de subtils pressentiments qui nous conduisent à travers la jungle de la maternité.

Certes, se tracer un chemin de manière radicale selon des règles et la logique, aussi tranchante qu'une machette, nous permettra d'y arriver. Mais il est plus facile de suivre les sentiers déjà utilisés par les vieux animaux, avec légèreté, sans recours à la force.

Nous devrions écouter nos intuitions. Il s'agit d'un savoir-faire qui remonte à loin, mais il nous sert bien.

4 NOVEMBRE

LE TRAVAIL

Lorsque la vie est en déséquilibre, un rêve surgit et le signale. Lorsque je travaille trop fort, ma mère va apparaître en rêve, incapable de marcher et ayant de comptes à payer. Le rêve révèle ce qui l'influence.

Quoi que je fasse, la «mère» en moi en paye la note et elle s'en trouve immobilisée. J'essaie d'accorder une plus grande attention à la famille.

Parfois le rêve va faire pencher la balance en faveur du travail. J'ai rêvé une fois que ma fille (elle symbolise souvent le principe créateur) tirait un bébé (mon actuel projet) à l'aide d'une voiturette.

Elle portait des patins à roues alignées et n'arrivait pas à freiner. (Vrai. Si j'arrêtais, je ne finirais pas.)

Elle bondit par-dessus une tranchée, s'agrippa à un poteau de téléphone et termina finalement sa course avec le bébé projeté à l'extérieur de la voiturette, mais sain et sauf.

Elle avait réussi à se rendre à la maison, avec un bébé charmant en santé. J'ai considéré cet enfant en santé comme étant une profession de foi face au projet auquel je travaillais à l'époque et j'ai continué à m'y consacrer.Il est difficile de trouver un équilibre entre notre travail et le reste de nos vies.

Mais nous ne sommes pas seules; des millions d'autres femmes sont chaussées de ces mêmes fichus patins à roulettes.

5 NOVEMBRE

LE PASSÉ

Des signes que ma mère vieillit. Elle a quatre-vingt-trois ans. Presque tout peut la projeter soudainement dans une histoire venue du passé - comment je suis tombée de mon tricycle quand j'avais trois ans, l'histoire de ma naissance, mon premier rendez-vous, peu importe.

Cela est incroyablement embarrassant. J'ai entendu parler de ce phénomène et je pensais seulement qu'avec la perte de la mémoire à court terme, les vieillards se sentaient plus confortables de vivre là où leurs souvenirs sont les plus clairs.

Mais je crois qu'il s'agit de plus que ça. Lorsque nous, et avant nous nos mères, sommes devenues âgées, nous avons besoin de raconter l'histoire que nous portons dans nos cœurs.

L'histoire de la famille. La sagesse que nous avons développée, acquise durement au travers des couches et des chaudrons; cet héritage réclame qu'on le dise.

Nous devons, avec grâce, prêter attention au passé. C'est aussi notre futur.

6 NOVEMBRE

LE CHANGEMENT

Devrions-nous essayer de changer le monde ou est-il suffisant de nous changer nous-mêmes ? Cette question est importante.

De nombreuses personnes dépensent de grandes quantités d'argent en psychanalyse, en tentant de se guérir. Plusieurs gens essaient de changer le monde, s'épuisent et doivent ensuite investir une grande somme d'argent dans une thérapie.

Mais certaines personnes parviennent à se donner aux autres et elles en ont toujours davantage à donner. Elles se confrontent à de durs systèmes et en ressortent encore humaines.

Elles ne se brûlent jamais, elles ne font qu'illuminer tout ce qui les entoure.Je ne sais pas pourquoi il en est ainsi, mais je soupçonne ces gens de s'aimer suffisamment eux-mêmes pour s'accorder des temps de repos de manière à pouvoir continuer.

La femme qui a appris à s'aimer sera douce envers elle-même et se reposera quand elle en sentira le besoin.

7 NOVEMBRE

L'AUTONOMIE

Ça représente un terrible combat que de grandir et de devenir autonome, d'être capable de pourvoir à ses propres besoins en nourriture, en logement et en petits plaisirs. Il devient donc épeurant de développer de l'intimité. D'avoir besoin d'une autre personne.

La vulnérabilité va de pair avec le domaine de l'amour.Lorsque nous abattons les murs qui nous permettent d'être nous-mêmes, afin de nous rapprocher de quelqu'un, nous perdons de l'autonomie

Alors nous exécutons notre petite danse : aujourd'hui nous sommes proches, demain nous sommes loin.

Les pas peuvent être compliqués et même douloureux si les rythmes ne s'accordent pas. Étudiez, rêvez, méditez et soupesez. Quand nous savons qui nous sommes, nous pouvons rester proches de quelqu'un d'autre.

8 NOVEMBRE

LA MORT

Mon père est décédé le jour même où il avait terminé de préparer la terre du jardin pour l'hiver. C'était en novembre.

Les panais avaient connu la gelée requise; il les avait donc sortis de terre pour les conserver dans une chambre froide.

Il nettoya les derniers outils, les rangea et referma la petite remise où ils seraient entreposés pendant tout l'hiver.

Tout était en ordre.Je crois que c'était une grâce qui lui était accordée. Au printemps, les tulipes fleuriraient, puis les pivoines, les iris, les primevères vespérales, les hémérocalles, les chrysanthèmes et chaque vivace en son temps, même

sans sa direction.Je n'ai besoin d'aucune autre preuve de la résurrection.

9 NOVEMBRE

LA CULPABILITÉ

J'ai déjà connu un étudiant qui souffrait de schizophrénie paranoïde. La classe, bien que ne connaissant pas la nature de ses problèmes, se montrait bien attentionnée à son endroit.

Nous savions que nous étions tous des personnes imparfaites. Après le cours, il m'appelait. Il n'arrivait pas à dormir, ni à écrire, ni à compléter le projet de travail qu'il avait entrepris. Je lui parlais et j'écoutais, écoutais et parlais, jusqu'à ce qu'il devienne plus calme.

Ça prenait environ une heure. Après deux ans, au cours d'une période particulièrement occupée, je ne répondais pas aussi vite à ses appels.

Il quitta. Je ne suis pas fière de cela. Je ressens, en fait, beaucoup de honte. Il a l'âge de mes fils et je souhaiterais, s'ils avaient été atteints de cette terrible maladie, que quelqu'un les écoute lorsque leurs cœurs seraient paralysés par la peur.

Il arrive parfois que nous manquions d'agir comme des mères envers les âmes égarées qui viennent à nous.

Une raison de croire en Dieu est que nous pouvons croire dans le pardon. Nous sommes tous des personnes imparfaites.

LA FOI

Je me sens toujours coincée dans une position inconfortable quand il est question de religion.

La fréquentation de l'église n'est pas formidablement populaire de nos jours, et je peux comprendre pourquoi.

J'ai le goût la tranquillité du dimanche matin pour moi-même.

Mais il y a quelque chose qui se produit ici, dans cet édifice, que je ne peux retrouver en aucun autre endroit.

Des gens qui chantent ensemble. Ils prient ensemble, traitant l'univers comme s'il était vivant et comme s'il pouvait les entendre.

Ils écoutent silencieusement l'histoire. Ils n'essaient pas de découvrir, le dimanche matin, si elle est vraie ou non (ils gardent ça pour l'étude de la Bible pendant la semaine); ils la reçoivent simplement.

Ils sont aimables les uns envers les autres, la plupart du temps; et même s'ils ont un conflit, il y a une trêve au moins ce jour-là.

Et surtout, s'ils écoutent attentivement, ils entendront cette curieuse recommandation de s'aimer les uns les autres et d'aimer le pauvre pardessus tout; un conseil qui ferait s'esclaffer toute autre assemblée corporative. Religion signifie reconnexion.

Peut-être la religion - étrangement, elle est pratiquée par les êtres humains après tout - nous relie-t-elle à une ancienne sagesse que nous avions mise de côté.

À l'intérieur de ces murs, nous suspendons volontairement les temps modernes pour laisser parler le passé, et peut-être le futur.

11 NOVEMBRE

L'IMMORTALITÉ

Ma mère de quatre-vingt-trois ans ne peut pas écrire ses rêves parce qu'elle est aveugle. Elle m'appelle plutôt dès le lendemain matin pour me les raconter.

Il n'y a pas longtemps, elle me décrivit une rêve dans lequel une amie récemment décédée, mon père, sa mère et d'autres parents (tous morts il y a des années) se tenaient debout sur le bord d'une rivière, l'enjoignant de traverser sur une planche.

«Nnooonnnn», répondait-elle dans le rêve. «Je ne savais pas si je pouvais me rendre de l'autre côté», me confia-t-elle plus tard.J'étais ébranlée par l'invitation de ce rêve et en même temps, j'étais soulagée par son refus de l'accepter. «Comment t'es-tu sentie ?», lui dis-je quand j'ai pu parler. «Ah! Je me sentais merveilleusement bien», dit-elle. «Cette place au-dessus de la rivière était pleine de lumière.

Et je pouvais voir.» Quoi que fasse le corps, l'âme sait qu'elle vivra toujours.

L'ENNUI

Ma fille de dix-sept ans a décidé de venir dans mon bureau et de s'étendre sur le divan. «Je m'ennuie», m'annonce-t-elle.

Le chien, sentant l'inquiétude, nous tournait autour et nous regardait comme s'il allait reprendre la même complainte.

Elle ne s'était pas ennuyée depuis qu'elle avait six ans, juste avant de commencer l'école. C'est bon signe. Nous ressentons de l'ennui seulement lorsque nous sommes prêtes à passer à une autre étape.

Dans son cas, il est temps de quitter le domicile et d'être traitée en adulte (ce que ses professeurs ne peuvent pas vraiment faire puisqu'ils la connaissent depuis qu'elle était une timide fillette de treize ans).

L'ennui n'est pas l'apanage des adolescents. Il marque chaque passage dans la vie, en nous poussant à quitter un cadre mental ou émotionnel périmé. Cela demande à être noté soigneusement et à être interrogé : Où nous pousse-t-il à aller ?

13 NOVEMBRE

LES CAUCHEMARS

Les rêves effrayants, en dépit de leur réputation, ne réclament qu'une seule chose.

Notre attention. Écrivez-les. Nous pouvons nous tourner vers l'élément le plus épeurant du rêve - le dragon, l'inondation, la tempête déchaînée - et demander «Pourquoi fais-tu partie de mon rêve ?» Lorsqu'il répond, mettez aussi la réponse par écrit.

Cela vous donnera quelque chose à insérer dans vos prières. La nuit suivante si le rêve revient (à l'invite de l'intérêt que vous leur portez, ils le font souvent), vous trouverez un dragon ou un ouragan moins féroce, et plus enclin à faire la conversation.Cela pourrait marquer le début d'une fructueuse relation.

14 NOVEMBRE

LES RITUELS

Alors qu'un vent froid de novembre soufflait, les cendres de ma belle-mère, dans un petit contenant, furent doucement déposées dans la terre. Des prières furent récitées.

Il s'agissait du dernier d'une série de rituels remplis d'amour célébrés par les membres d'une grande famille, en hommage à une femme qui les avait bien élevés. Cela est dorénavant inscrit dans nos cœurs.

Nous, ses enfants et ceux et celles qui ont épousé ses enfants, sommes maintenant les plus âgés. Nous sommes ceux et celles qui sont appelés à être, en même temps, plus sages et un peu plus fragiles.

On s'y attend. Nos propres enfants, que jadis nous transportions dans des sacs à dos ou sur des sièges de bicyclettes, nous ouvriront respectueusement les portes et porteront nos paquets. «Lorsque je mourrai», dis-je à ma fille en retour-

nant à la maison, «j'aimerais que mes cendres soient apportées au sommet du mont de l'Érable et qu'elles soient dispersées dans le vent.»

«Qu'est-ce que je vais faire de l'urne ?», dit-elle, aucunement préoccupée par le voyage en canot nécessaire pour se rendre là, ni par l'ascension, mais toujours avec son sens pratique.«Tu la rapportes», répondis-je, décontenancée du fait qu'elle avait dû poser la question.

«Non, non», réagit-elle doucement. «Mettrais-tu quelque chose comme ça dans le bac à recyclage ?» Ainsi, en riant, mais aussi tout à fait sérieusement, nous discutons du changement de nos statuts.

Elle ne peut devenir complètement adulte tant que je n'abandonne pas le pouvoir. Et je le fais délibérément en lui remettant mes propres futures cendres. Les rituels soulignent notre croissance vers la sagesse.

15 NOVEMBRE

LA COMMUNAUTÉ

Être parent est trop exigeant pour le faire seule, ou avec un partenaire. Nous avons besoin de nous entourer de mères, de tantes, d'oncles et d'amis de remplacement.Les églises sont parfois bonnes dans ce cas-là.

Elles peuvent, au mieux, rendre accessible une communauté faite de représentations de Noël, de chœurs de jeunes et de gens qui connaissent les noms de nos enfants.

Il n'y a rien de plus formidable pour un enfant que de sentir qu'il est entouré de tantes,

d'oncles, de grand-mères et de grands-pères qui l'aiment intégralement - remuant, verbal, sacré - et qui lui donnent un passé spirituel.

Nos enfants ont besoin de savoir qu'ils sont le résultat de l'amour de milliers de gens.

16 NOVEMBRE

LE PAIN

Le secret de la cuisson du pain, c'est de se souvenir qu'il est vivant. Il n'aime pas à être refroidi et il apprécie vos mains sur lui. Gardez-le couvert dans un endroit chaud, pétrissez-le de manière appréciable, et allez y jeter un coup d'œil de temps à autre pendant qu'il lève.

Comme les semis et les personnes malades, la levure vivante réagit aux marques affectueuses d'attention et aux pensées chaleureuses en prenant visiblement son expansion. Nous n'avons pas à penser au fourneau.

17 NOVEMBRE

LA PARESSE

Je ne connais pas de femmes paresseuses. Je suis certaine qu'il en existe quelques-unes à quelque part.

Mais les femmes que je connais ne souffrent pas d'indolence.L'équilibre dont nous avons besoin consiste plus à garder nos têtes soulevées assez longtemps pour percevoir ce que certains (souvent des hommes) appellent une vue d'en-

semble. Nous portons le plus souvent une telle attention aux détails (ce texte se trouve-t-il dans mon porte-documents, qu'est-ce qu'il y a pour souper, qui passe prendre les enfants après la gymnastique) qu'il est difficile de penser à tout le tableau.

Une bonne partie de ce qui semble être de la paresse - être assise, se promener lentement, regarder au loin - est nécessaire pour découvrir le Sens de la Vie.

18 NOVEMBRE

LA TIMIDITÉ

Les adultes ont tendance à décrire certains enfants comme étant «terriblement timides» ou «sauvages».

Ce sont ceux qui ne peuvent se tenir debout dans la classe sans rougir.Maintenant que je suis une adulte moi-même, j'ai une autre conception de la timidité.

Elle n'est pas liée à celle des jeunes. La capacité de sortir d'eux-mêmes et d'observer ce qu'ils sont eux-mêmes en train de faire leur enlève quasiment tous leurs moyens; mais - sous une forme moins létale - c'est ce dont nous avons besoin pour élever nos enfants et pour réaliser d'autres tâches importantes.

Nous devons être capables de sortir de nous-mêmes et d'observer nos conversations avec nos enfants, notre patron, nos employés ou notre époux.

Nous avons besoin de savoir ce qui se passe, entendre comment nous disons les choses. Nous

avons besoin de nous demander (plus tard, en y revenant, fera l'affaire) si cette remarque de notre part était provoquée par le souvenir d'une douleur d'enfance, ou cette autre par l'affrontement de deux types de personnalité contradictoires.

Au mieux, la conscience de soi prévient les blessures dans les relations, avec les enfants notamment. Au pire, elle ne peut que nous faire rougir.

19 NOVEMBRE

LES ENFANTS

Notre ami, âgé de cinq ans, était assis à l'église, attendant que ce soit le tour de sa famille de descendre au souper à la dinde, un événement annuel très bien organisé et très couru.

Une connaissance de la famille, qui attendait aussi, s'approcha pour le saluer et lui donner la main.

Notre ami resta figé en se demandant quoi faire. Puis il avança le bras et saisit sérieusement la main tendue, en regardant en haut de ses yeux bleus de cinq ans.

«La paix du Christ soit avec vous!», dit-il. De fait. Elle l'est.

L'ÉCRITURE

Le journalisme constitue une dangereuse occupation. Elle implique que vous relâchiez les frontières entre vous et vos sujets, que vous vous ouvriez pour être en mesure de sentir leurs émotions et de connaître leurs vérités.

Parfois les émotions présentes sont la peine, la colère, la confusion.

Il m'est arrivé une fois de passer tout un après-midi assise sur la pelouse avec un homme qui avait observé la terre de son peuple, leur mère spirituelle, se faire découper - par les agissements ou l'apathie du gouvernement - en de plus en plus petites parcelles au fil des années.

Un morceau de leur mère pour un passage maritime ici, une autoroute là, un terrain de golf. Une armée les encerclait maintenant. Son doux et plus jeune frère se trouvait aux barricades.

Il raconta l'histoire, parfois en pleurant. J'étais assise, sidérée par sa douleur.

Cela doit être fait. C'est spécialement important pour ceux et celles qui essaient de lire et d'écrire à la lumière de l'évangile.

Si les écrivains ne se permettent pas de prendre le risque que leurs cœurs soient captifs des gens qu'ils observent, ils vont simplement faire des reportagesdu point de vue du statu quo.

Et Dieu ne s'y trouve pour ainsi dire, pas du tout.

21 NOVEMBRE

ÉCRIRE

Les journalistes pénètrent en un endroit et laissent cet endroit entrer dans leurs cœurs en retour.

C'est du moins ce que je fais. J'entends plusieurs histoires, et notamment de ceux et celles qui disent n'avoir rien à raconter.

Une fois que j'ai permis à mon cœur d'être écorché, alors je prends du recul. Je rétablis les frontières entre les autres et moi-même afin de me mettre à écrire.

Je permets à une certaine distance de s'installer en moi.

Je travaille, en tant qu'écrivain, à partir de l'espace curieux qu'est la mémoire de l'émotion - un sentiment, suscité par de nombreuses questions et dégagé peu à peu de l'histoire du lieu et de la voix des gens aux visions divergentes puis, enfin, de ma propre expérience.

En cet espace particulier, je souhaite voir la vérité.Les gens imaginent que les journalistes sont braves. Certains le sont sans doute.

Mais la chose la plus brave qu'ils accomplissent est d'oser raconter l'histoire d'une autre personne.

22 NOVEMBRE

L'ÉDUCATION

Les femmes s'enferment parfois dans une certaine façon de penser au sujet d'elles-mêmes.

Nous ne devrions pas faire cela, nous y avons trop à perdre. Certaines d'entre nous pouvons penser - par exemple - que nous ne pouvons pas nous rapprocher de Dieu, ni parler de Dieu parce que nous n'avons pas suffisamment fait d'études en théologie.

C'est merveilleux d'être bien instruite en théologie. Toutefois il arrive qu'une bonne éducation en théologie doive seulement être désapprise. Dieu s'avère être une femme, autant qu'un homme, après toutes ces années où il a porté la barbe.

«Bénis soient les pauvres» s'avère vouloir dire exactement cela, après toutes ces années où nous ajoutions «...en esprit», pour que celles d'entre nous qui ne le sont pas se sentent mieux.

Quelqu'un a relevé qu'il existe deux versions de l'origine des sexes dans la Genèse et que peut-être, après tout, Dieu n'a-t-il pas fait la première femme à partir de la côte d'Adam.Apprendre un peu est une chose dangereuse.

23 NOVEMBRE

PRENDRE DE L'ÂGE

Au sein de certaines cultures, les femmes d'un certain âge ont le droit de faire des remarques lubriques ou des blagues explicites sans aucune censure.

N'ayant plus le statut de créatures sexuelles, elles sont autorisées à prendre une liberté par rapport aux contraintes culturelles dont ne jouissent pas les plus jeunes femmes. Je n'ai pas ressenti l'envie de devenir plus obscène que je ne l'étais.

Mais lorsque j'ai atteint la quarantaine, une voix que je n'avais encore jamaisentendue s'est mise à murmurer dans ma tête, à chaque fois que quelqu'un me téléphonait pour me demander d'être bénévole pour ceci ou cela.

«J'ai quarante ans et je peux faire ce que je veux», me disait la voix. Et j'ai commencé à dire non aux choses que je n'avais pas réellement le goût de faire.

Quand j'ai atteint la cinquantaine, la voix s'est faite plus forte. Je ne crois pas être devenue égoïste au dernier degré, mais maintenant j'exige que ce que je fais ait un sens pour moi, que cela ne provient pas des attentes d'une autre personne.

Dans plusieurs cultures, un des cadeaux qui vient avec l'âge moyen, c'est la liberté.

24 NOVEMBRE

LES DONS

Une façon de se brûler rapidement est de ne pas utiliser nos dons particuliers.Souvent nous ne les identifions pas parce que nous sommes plutôt enclines à nous arrêter à nos limites. Mais c'est une bonne idée de découvrir quels sont nos talents.

Nous pouvons alors cesser de nous demander ce que nous sommes supposées faire avec nos vies. Tâtonner requiert plus d'énergie que de faire quelque chose passionnément.

Certaines ont de la compassion; faire la rencontre d'une telle femme signifie que nous sommes écoutées au niveau le plus profond et de nous en trouver plus fortes. Certaines ont du courage; rencontrer une telle femme veut dire être mise au défi et être encouragée à réfléchir.

Certaines ont le don du discernement. Elles aident le reste d'entre nous à découvrir notre propre voie, si nous le demandons.

Les disciplines spirituelles - la prière, la marche, le rêve, la méditation - nous aident à identifier les talents que nous possédons.

25 NOVEMBRE

LES COMMUNAUTÉS

Nous serons toujours désappointées par certaines gens. Puisque ni nous ni eux ne sommes des dieux, ils ne peuvent faire autrement. Même les dieux , à ce chapitre, sont loin d'afficher un comportement parfait.

C'est aussi vrai de la part de personnes qui vivent dans des communautés spirituelles, qu'il s'agisse d'églises ou de petits groupes qui se réunissent pour discuter ou pour travailler ensemble.

Alors si nos communautés spirituelles se montrent intraitables et maussades, chicanières et désorientées, nous pouvons juste essayer de nous détendre. Elles sont humaines.

26 NOVEMBRE

LA MARCHE

Il y a quelques jours à peine, une amie et moi sommes allées marcher sur le bord de l'eau. Nous ne nous étions pas vues pendant une semaine ou

à peu près bien que nous ayons l'habitude de nous visiter plus souvent.

Il faisait encore chaud pour le mois de novembre. Nous nous sommes retrouvées dans un étroit sentier, cherchant des herbes séchées et des branches de sumac pour rapporter à la maison.

Nous avons déniché des buissons chargés de fruits d'églantiers et ravies, nous en avons cueillis, ramassant des branches jusqu'à ce nous en ayons plein les bras.

C'est ça la manière des amitiés entre femmes: marcher, parler et partager le plaisir de la beauté, partager des soucis et de petites joies.Nous avons rapporté nos paquets à la maison, en nous déplaçant avec plus de peine qu'avant, et nous nous sommes dit au revoir.

Elle est revenue quelques jours plus tard avec une autre brassée de branches de fruits d'églantiers. J'en ai rempli un panier sur le balcon.

Le jour suivant, il a neigé; des flocons se déposaient sur les baies d'un rouge riche laissées dehors.

Je revois mon amie chaque fois que je les regarde, revois le dernier après-midi de l'automne, le dernier jour de chaleur près du lac avant l'hiver. Et je me sens heureuse.

27 NOVEMBRE

LE VOYAGE

Dans l'Église africaine du Saint-Esprit, les gens prient avant de se rendre d'un village à l'autre, afin de demeurer sains et saufs, et à nouveau au

retour à la maison, pour que Dieu entende leurs prières de gratitude.

Ils enlèvent leurs chaussures au moment de la prière parce qu'ils se tiennent sur une terre sacrée.Combien plus avons-nous besoin de prier, nous qui nous déplaçons tous les jours à hautes vitesses sur les grandes autoroutes!

28 NOVEMBRE

LES CATHÉDRALES

Les grandes cathédrales de pierres et les paisibles églises de campagne de l'Allemagne sont toutes munies d'une chaire surélevée, de manière à ce que les gens regardent vers le haut et portent un respect approprié aux paroles du prédicateur.

Les églises sont pleines de peintures, de sculptures et de la musique qui coule comme de l'eau en une chaude journée.

Comment se fait-il que ces structures si élancées, avec toute l'attention qu'ils démontrent envers la foi et avec toute leur beauté, n'aient pu empêcher l'horreur qui s'est développée avec l'holocauste ?

Comment le mal peut-il être si puissant ?Il n'y a pas de réponse à cela.Si le mal pouvait être contenu dans une réponse, il n'existerait pas. Mais il existe.

Tout ce que nous pouvons faire, c'est de lier notre amour, petit à petit, au mortier avec l'espoir de créer la masse critique qui sera suffisante pour le maintenir au rancart.

LA DISCIPLINE SPIRITUELLE / LA MARCHE

«Discipline spirituelle» est une bien curieuse expression, évoquant l'atmosphère gothique de lugubres cellules et d'églises froides. C'est cependant tout ce dont nous disposons pour définir nos efforts volontaires pour nous rapprocher de Dieu.

La discipline spirituelle que je choisirais serait la danse; toutefois, pendant que Dieu serait sans aucun doute ému par mes efforts maladroits, je ne le serais pas.

Durant tout l'hiver, je marche plutôt.Je sors par la porte d'en avant, je descends du long côté de la rue en passant devant le jardin de madame Sweetman, couvert d'une haute neige et attendant le printemps, je dépasse la voie ferrée et traverse la rue principale achalandée; je franchis d'autres voies ferrées et subitement, je suis éblouie par la lumière et l'espace et les tiges d'herbes brunies qui percent la neige.

Je m'avance sur le lac gelé puis je me retourne pour regarder toute ma charmante et loqueteuse ville nordique s'étendre devant mes yeux.

Mon âme s'agrandit. Je me réjouis de marcher sur l'eau. Il dut en être ainsi pour Jésus, en traversant la mer de Galilée, se retournant pour admirer ce que Dieu et ses créatures affairées avaient réalisé.

Une discipline spirituelle, c'est tout ce qui peut nous aider à voir avec les yeux de Dieu.

30 NOVEMBRE

LES HOMMES

Il y a des avantages à se tenir avec les hommes lors de réceptions. Nous pouvons apprendre tellement de la manière qu'ils semblent, à tout le moins, être.

Ils ont l'air confortables dans leurs corps, sans se préoccuper d'être trop minces ou trop épais ou pas suffisamment musclés.

Ils ont l'air confiant, assurés que les autres les aimeront encore même s'ils n'en prennent pas plus qu'ils ne peuvent en assumer.

Il est toujours sage de développer en nous des aspects que nous ne connaissons pas très bien, et ces derniers nous sont souvent reflétés par les hommes.

DÉCEMBRE

1ER DÉCEMBRE

LES ANGES

Rien ne me convainc davantage du fait que cette époque matérialiste est dotée d'une ombre spirituelle puissante que les histoires que j'entends au sujet des anges.

Dans un recoin de notre inconscient, inconnu de nous mais qui effectue des percées constantes de façons que nous ne pouvons contrôler, il existe un désir de connexion avec Dieu. Selon les critères du monde, ces histoires ne font preuve d'aucune logique.

Selon l'entendement de l'âme, elles sont tout à fait sensées. Un avocat (ils ont l'habitude des règles et possèdent un scepticisme impeccable) me raconta une histoire concernant son amie, un témoin de Jéhovah et donc, tenue de faire plusieurs heures de témoignage de porte à porte à chaque mois.

Cela se fait habituellement en équipe de deux. Mais elle avait accumulé du retard dans ce devoir et elle décida d'y aller seule. Elle sonna à une porte où le résidant, un homme costaud, semblait énervé; elle lui parla mais quitta rapidement.

Plus tard, son témoignage a aidé à démontrer qu'il se trouvait à la maison au moment où elle l'avait visité; il venait d'assassiner sa femme.Il n'avait pas fait de mal à la jeune femme (témoin dans plus d'un sens), avait-il expliqué, à cause du grand homme qui l'accompagnait.

2 DÉCEMBRE

LES AMIES

Un des aspects les plus agréables de l'amitié est le partage d'activités créatrices. Pas étonnant que maris et épouses sont parfois de si bons amis. Ils créent tellement de choses ensemble.

Et les femmes deviennent des amies en mettant sur pied des garderies, en participant au comité d'école, en fréquentant un groupe d'étude, en apportant des mets divers à un souper com-

munautaire, en parlant tout en observant la mise en forme de leurs visions respectives. En chantant dans le chœur et produisant de charmantes sonorités.

Ensemble.Bien sûr, il y a aussi le fait de prendre des marches ensemble, de bavarder lentement au-dessus d'un café. Tout cela fait partie de l'amitié.

Mais une amitié bâtie sur le partage d'un bureau, d'un objectif commun ou de la communication au sujet des enfants de l'une et de l'autre - en écoutant les soucis mutuels et en formant ainsi des adultes - *ça*, c'est une amitié solide comme l'acier, trempée dans la tâche dont elle origine.

3 DÉCEMBRE

LES DIEUX ORDINAIRES

Ma vie de femme est plus affairée que celle qu'avait ma mère. Certes, elle a fait des montagnes de repassage (pas moi), nettoyé la maison jusqu'à ce qu'elle brille (la nôtre ne brille pas), et servi des repas nourrissants (je ne veux même pas y penser).

Je ne fais aucune de ces choses parce que je passe mon temps collée à l'ordinateur, comme le sont plusieurs de mes amies.

Nous nous sommes inscrites dans l'économie salariale pour de bon et nos vies sont très occupées, surtout si nous avons de jeunes enfants.

Comment pouvons-nous réellement avoir du temps pour Dieu ?En adhérant à la religion celte. Ses fidèles avaient une croyance, qui a beaucoup à nous offrir, selon laquelle Dieu est tout

autour et avec nous dans le quotidien, le seul temps que nous avons, nous les femmes.

De l'allumage du feu de tourbe le matin à l'aspersion d'eau froide du visage et des mains, à l'aide d'un pichet, de la traite des vaches au retour au lit, leurs jours entiers se vivaient dans la lumière de Dieu.

Nous n'avons pas à allumer de feu de tourbe. Mais nous leur ressemblons en ce que nous disposons de peu de temps pour de longues séances de méditation ou des pratiques spirituelles ésotériques.

Nous pourrions redécouvrir le sens qu'ils avaient de la présence de Dieu autour de nous. S'il est difficile de réciter une prière en faisant face à un ordinateur, nous pourrions nous en détourner et regarder dehors par la fenêtre.

Nous pourrions prier dans la circulation et au souper.

Et au moment de se coucher, peu importe notre fatigue. Le Créateur accompagne et bénit toutes ses créatures, notamment lorsque nous sommes épuisées.

4 DÉCEMBRE

FAIRE LES LITS

Une ancienne prière celtique s'adresse à Dieu même en faisant les lits.

Cette petite tâche ordinaire devient alors toute lumineuse :

Je fais ce lit, Au nom du Père, du Fils et du Saint-Esprit,

Au nom de la nuit où nous avons été

conçues, Au nom de la nuit où nous sommes nées, Au nom du jour où nous avons été baptisées, Au nom de chaque nuit, de chaque jour,De chaque ange qui est aux cieux.*

Peut-être est-il plus ardu de sentir la présence des anges célestes qui nous entourent quand nous mettons l'ordinateur en fonction le matin; le mouvement de leurs ailes et leur musique magnifique semblent s'opposer aux outils résolument logiques.

Mais en préparant le repas du soir, en marchant, en donnant le bain aux enfants, en les mettant au lit...

Le passé vient encore à notre rencontre; et la vie se poursuit encore un jour, une nuit, un ange à la fois.*

Douglas Hyde. *Religious Songs of Connacht.* London, Dublin. 1906. Nouvelle édition comprenant une introduction de Dominic Daly. Irish University Press. Shannon, Ireland. 1972. p. 207.

5 DÉCEMBRE

QUELQUE CHOSE MAINTENANT

J'ai surpris une conversation entre nos deux fils, David et Andy, alors qu'ils étaient âgés respectivement de cinq ans et de trois ans.

Tous deux avaient de la peinture et du papier. Ils appliquaient joyeusement la peinture sur les feuilles et sur les vieilles chemises de leur père qui leur servaient de sarraus.

«Qu'est-ce que ça va être, Andy ?», demanda David, de son air le plus «grand frère» possible.

«C'est quelque chose maintenant», répondit Andy tout content, tout en continuant à peindre.Nos vies n'attendent pas pour se faire. Nous sommes quelque chose maintenant.

6 DÉCEMBRE

REMÈDE DE FEMMES

L'Ancien Ojibway, Art Solomon, raconte une histoire sur la guérison de la terre.

Lorsque je ressens de la peur, j'y repense et je retrouve l'espoir.Solomon pressent fortement que nous avons besoin d'entendre la voix des femmes.

Au commencement il y avait de l'harmonie, mais maintenant le monde est en déséquilibre, trop en manque du principe féminin.

«Les femmes doivent prendre leur remède pour soigner un monde troublé», dit-il.

Il fut confronté là-dessus par une jeune femme qui voulait savoir ce qu'était le remède des femmes.

Il y pensa pendant tout l'hiver et trouva enfin la réponse.«J'en suis venu à la conclusion», dit-il avec précaution, «que les femmes *sont* le remède.»

7 DÉCEMBRE

LA RECHERCHE DE DIEU

Chercher Dieu est comme écrire un poème; en fait, ça peut être exactement la même chose. Demander qu'un poème ou qu'un aperçu de Dieu

nous soient donnés ne mène à rien; nous pouvons seulement nous placer sur leur chemin et espérer avoir la force suffisante pour leur faire face lorsqu'ils se présentent.

En fait, l'art de la recherche de Dieu réside peut-être simplement dans l'accroissement de notre force : en chantant, en priant, en apprenant les subtilités du langage de Dieu, en rencontrant des compagnons et compagnes de recherche.

Alors, quand nous découvrirons que Dieu est sans abri, nous aurons une église (la maison de Dieu, après tout) qui l'attendra de sorte qu'Elle puisse sortir du froid.

Et nous aurons la force de défier les règlements publics pour Elle.

8 DÉCEMBRE

LES ANGES

Les anges. Du grec *angelos*, messager de Dieu. Dans la tradition chrétienne, les croyants sont priés d'accueillir les étrangers chez eux, parce qu'ils sont peut-être des «anges endormis».

Cependant, qui précisément est endormi n'est pas vraiment clair dans ce passage. S'agit-il des hôtes éventuels ? Ou est-ce que ce sont les anges qui, eux-mêmes, ne savent pas qu'ils sont des anges ?

Notre fils aîné, venant à la maison pour son quinzième anniversaire, ne désirait pas de fête; il souhaitait seulement la présence de ses grands-parents au souper. Ravis, mes parents décidèrent qu'ils allaient faire le voyage de deux heures par train. Dans l'inquiétude d'arriver à l'heure pour

prendre le train, mon père ne s'était pas rendu compte, avant d'être rendu à la gare, qu'il avait oublié ses médicaments pour le cœur.

Le train était déjà entré en gare. Mais le conducteur le connaissait bien; ils avaient travaillé ensemble. Il savait que mes parents demeuraient à une distance de cinq minutes en automobile. «Je vais retenir le train,» dit-il, «allez chercher ce dont vous avez besoin.

»Alors le train attendit et grand-papa a pu se rendre à la fête de son petit-fils, son rire contagieux se faisant entendre toute la journée.Deux jours plus tard, de retour à la maison, il mourait. Le cœur qui avait besoin de ces pilules avait subi un ultime assaut.

Nous restions avec une multitude de souvenirs, aucun n'étant plus précieux que celui de la dernière fête qui avait pu avoir lieu grâce à un employé des chemins de fer qui avait retenu un train pendant cinq minutes. Un ange peut porter l'uniforme d'un conducteur «sans le savoir». Ou un jeans couvert de farine, ou une chemise mouillée par la salive d'un bébé.

9 DÉCEMBRE

LES TÉNÈBRES

Ce mois de journées courtes et de longues nuits est un bon mois pour regarder à l'intérieur. Une partie du cycle de la vie humaine consiste à entrer dans les ténèbres, sous terre.

Perséphone disparaissant, descendant vers Hadès pendant que sa mère entonne un chant funèbre et recouvre la terre de l'hiver. Nous avons

besoin de ces périodes où nous descendons vers notre ombre, cette partie de nous-mêmes oubliée, blessée.

De tels épisodes exigent que nous prenions un carnet de notes, que nous les imaginions et que nous écrivions à ces parcelles perdues en nous, que nous leur parlions et les soignions. Après cela, nous serons plus fortes.

Perséphone revint sur la terre plus sage, plus mature - une femme. Si nous permettons à nos ténèbres de nous enseigner, nous, comme elle, nous relèverons plus fortes qu'avant.

10 DÉCEMBRE

LA CULPABILITÉ

Il ne nous est pas possible de faire et d'être tout ce que nos enfants souhaitent que nous fassions et que nous soyons.

Il n'est pas non plus possible de faire et d'être tout ce que nos époux, nos amants ou nos parents nous demandent. Nous pouvons donc, sur cette base, y aller doucement avec nous-mêmes. Nous pouvons seulement être qui nous sommes.

11 DÉCEMBRE

LA CONVOITISE

Je l'avoue. Je passe près des rayons de linge de n'importe quel grand magasin et je vois toutes ces serviettes douces et épaisses, disponibles dans des

couleurs superbes, et je les veux toutes. En plus grand nombre que ce que je ne pourrais jamais utiliser.

Je veux les ranger dans une lingerie, les placer dans des malles, en tapisser la salle de bain et les compter. Je deviens pareille à Midas avec son or.

Pour certaines, ce sont les chaussures. Ou des maisons, ou des bijoux en or, ou de la nourriture. Les enseignements spirituels nous suggèrent surtout de vivre simplement.

Et cela est très sage parce que la véritable convoitise se nourrit d'elle-même, devient plus gourmande et désire toujours davantage. Mais sur la route de la simplicité de la vie, nous devons nous faire gentilles avec le petit enfant affamé qui vit en nous. (C'est là que la convoitise prend sa source.

Tout ce désir pour l'or ou pour ce gâteau au chocolat vient d'une minuscule voix intérieure qui dit «Je veux. J'ai faim. Nourrriiiis-moi...») «Je sais», pouvez-vous chuchoter. «Je sais. Et je t'aime. C'est correct.»Il n'est jamais trop tard pour être une enfant bien aimée.

12 DÉCEMBRE

LA COMPENSATION

Nous pouvons nous fier à nos rêves pour noter un déséquilibre dans nos vies, et tenter de nous faire retrouver la santé.

Si nous sommes extrêmement solitaires, ils nous pousseront vers les gens. Si nous sommes exagérément portées sur le travail, ils nous con-

duiront dans une autre direction. Une fois j'ai fait un rêve au sujet de notre chien, Gabriel, qui sautillait et dansait au milieu d'un champ ensoleillé couvert de fleurs sauvages, insouciant et libre, ne faisant rien de plus important qu'une danse fantaisiste à la *Snoopy*.

C'était là tout le rêve. Il dura et dura, mon esprit me poussant à laisser danser ma nature animale (mon corps). Ce n'est pas pour rien que notre chien se nomme Gabriel, l'ange annonciateur, celui qui apporte les bonnes nouvelles.

S'il n'y a pas de correspondance entre les actions de nos rêves et celles de notre vie éveillée, nulle ressemblance d'aucune sorte, le rêve essaie peut-être simplement de créer pour nous un équilibre dans notre vie. Mais pourquoi les rêves devraient-ils avoir tout le plaisir ?

13 DÉCEMBRE

L'ABSENCE

À Noël, il y a ceux qui sont profondément présents par leur absence. Particulièrement ce premier Noël quand - sans y penser - leurs noms apparaissent sur votre liste d'achats.

Alors là vous vous souvenez. Certaines morts, ceux et celles qui sont décédés trop jeunes, laissent un vide tellement grand que vos vies en sont changées pour toujours et créent un trou dans chaque jour de festivité, ou dans chaque jour tout court.

Mais ces autres morts, ces morts prévisibles de ceux et celles pour qui l'heure est venue en son temps, nous nous en rappelons encore avec

amour, mémoires et joies mêlées à du regret.Ils percent notre toile de Noël de petits trous, tel un treillis, laissant ainsi passer la lumière et les souvenirs. Noël n'est jamais une fête entièrement remplie d'un bonheur resplendissant; la mémoire d'un rire passé crée toujours un écho juste derrière le présent.

Le Noël parfait, joyeux et innocent que nous visons ne peut exister. Nous voudrons peut-être essayer de nous avancer vers un Noël réel.

14 DÉCEMBRE

L'ERGOMANIE

C'est la mode de nos jours de parler de la dépendance au travail de quelqu'un. Cette dépendance comporte une certaine élégance, pour les femmes notamment. Il y a quelque chose dans le fait de perdre son âme au profit d'un ordinateur qui semble plus respectable que de se promener sur la rue Principale en quêtant des pièces d'un dollar pour acheter une bouteille. J'ai cependant de la difficulté avec ce paradigme populaire - tout un chacun est dépendant, piégé, malade, victime de forces extérieures qu'il doit combattre pour survivre.

Ça a pour effet de minimiser la véritable douleur chronique avec laquelle vivent plusieurs. Malgré cela, ça peut servir à quelque chose.

Comme pour toute dépendance, le travail représente toujours le danger que je m'éloigne de mes amies, de mon époux, de mon corps. Et de voir en termes de maladie ma capacité de fuir dans le travail quand je suis confrontée à quelque

chose de déplaisant, tel un conflit, soulève la possibilité d'une guérison.La mort sera ma seule cure.

J'aime trop mon travail pour me faire des illusions là-dessus. Mais guérir - apprendre à vivre avec cela, apprendre à poursuivre les relations, à trouver un sens à la vie et à vivre dans la communauté en même temps - alors *ça* c'est possible. L'ergomanie, comme toute maladie chronique, peut ne pas être curable. Mais nous *pouvons* être guéries.

15 DÉCEMBRE

LES RITUELS

Les rituels ont une vie qui leur est propre. Il y a plusieurs années, je demeurais dans un village minier nordique où tout dans l'épicerie avait perdu sa fraîcheur, ayant pu arrivé par camionnette à tout moment de la semaine.

Une des résidantes de longue date m'amena chez elle pendant une journée et me montra, avec son doux accent de Terre-Neuve, comment faire du pain.J'ai commencé à fabriquer des anneaux de Noël, un merveilleux mélange de pain frais chargé de noix, de cannelle et de raisins.

«Ne pourrions-nous pas en donner un à...», me demandait mon mari tout enjôleur. Fière de ma pâtisserie, j'en faisais de plus en plus.Une telle arrogance revient me hanter.

Pendant tout le mois de décembre maintenant, la cuisine embaume le pain qui lève et la cannelle. Le premier Noël loin de la maison, pour les enfants les plus âgés, est ponctué par la

demande de la recette; et ceux qui restent ont appris, avec sans-gêne en passant par la cuisine, à rouler la pâte, à étendre le beurre, à ajouter le sucre et la cannelle.

Cela ne m'énerve pas comme le font normalement les tâches répétitives. Cette cuisine enfarinée et l'odeur sucrée des boules de pâtes sont à l'opposé de ce qui forme le reste de ma vie; mais il y a des traditions qui survivent dans la vie à côté du courrier électronique qui s'écrit rapidement et qui s'efface vite.

Ce pain, ce rituel, me relie à une autre vie dans laquelle une gentille femme plus âgée montrait à une jeune femme comment faire du pain alors que nous étions loin des boulangeries, et de la maison.

16 DÉCEMBRE

ANNEAUX DE NOËL

Faites une quantité de n'importe quelle pâte à pain, avec de la levure, sucrée. Vous pouvez doubler la recette. (La recette que j'utilise, doublée, requiert environ 14 tasses (1.2 kg) de farine.)

Après que la pâte ait levé deux fois, divisez-la en quatre portions.Rouler chaque portion en un long bâtonnet; étendez-y du beurre, puis saupoudrez du sucre brun (environ 2 tasse [67 g] pour un rectangle d'environ 15 pouces par 9 pouces [37.5 cm X 22.5 cm]).

Saupoudrez généreusement de cannelle, puis avec 2 tasses (100 g) de raisins secs. Roulez bien serré, en commençant par le côté large et scellez les bouts en les pinçant sur eux-mêmes.

Déposez sur une tôle à pâtisserie légèrement graissée en formant un anneau, en prenant soin de mettre le côté de l'ouverture fermée vers le bas.

Pincez les deux bouts ensemble pour souder le cercle.Avec des ciseaux, pratiquez des incisions au bas de la profondeur de l'anneau à environ 1 pouce (2.5 cm) d'intervalle.

Tournez chacune de ces sections sur son côté. (Soyez ferme, la pâte à pain peut le prendre.) Laissez lever jusqu'à ce que soit rendu au double. Faites cuire au four à 375 °F (190 °C) durant 25 à 30 minutes. (Assurez-vous que cela ne roussisse pas trop.)

Pendant que c'est encore chaud, couvrez d'un glaçage blanc ordinaire et décorez avec des noix et des cerises. Servez chaud. (Vous pouvez l'envelopper dans du papier d'aluminium et le congeler, et réchauffez plus tard dans le même papier.)

17 DÉCEMBRE

GABRIEL

L'ange Gabriel est l'un des quatre anges qui entourent le trône de Dieu. Il est celui qui apparut à Marie et qui lui dit de ne pas avoir peur, qu'elle était bénie entre toutes les femmes.

Il apporte les bonnes nouvelles, est responsable de la lune, du mois de janvier et de la direction Nord du compas. Et il est fait de feu. Rien de cela n'est réellement important. Sauf que, si vous fréquentez un tant soit peu les églises, et si vous allez assister à une représentation de Noël, il est probable que vous allez le voir. Il aura à peu près

dix ans, portera un drap et des ailes de carton et aura l'air penaud.

«La paix soit avec vous», dira-t-il. Il adressera ensuite longtemps la parole à Marie au sujet du fils qui naîtra de son sein, en terminant par ce mots: «Car il n'est rien que Dieu ne puisse faire.» Pour ce réconfort, nous devons accueillir Gabriel lorsqu'il se présente.

18 DÉCEMBRE

L'ÉPUISEMENT

Il se produit quelque chose à Noël capable de rendre douloureux tout travers perfectionniste de nos corps. Ce sont peut-être les revues, avec tout leur brillant. Ou l'enfance.

Ou bien nos mères qui mettaient en place un Noël si fabuleux que nous ressentons le besoin de faire pareil, à moins que - trompées par le lustre de la mémoire - nous pensions qu'elles l'ont fait.

Certaines femmes aiment sincèrement cette saison, et par la joie qu'elles démontrent à décorer et à cuire des biscuits, à envelopper splendidement les cadeaux, à étendre des lumières et à écrire de belles longues cartes personnelles pour tous les gens qu'elles connaissent, elles entraînent le reste d'entre nous dans la spirale d'une farouche compétition.

Certaines femmes ont besoin de cette saison pour rester ardemment occupées, pour cacher le fait que quelqu'un est absent.Certaines femmes, du style consciencieux, font de Noël une tornade d'exploits (tant de soirées organisées cette année, tant de cartes écrites et postées) comme de toute autre chose dans leurs vies. Peut-être cette saison est-elle simplement une version révisée à la hausse de ce que nous sommes dans la vie de tous les jours.

Par contre, quelque chose de nouveau veut voir le jour en nous - peut-être le repos, la joie, la tendresse. C'est ce dont il est question à Noël. Quelque chose de nouveau qui naît.

19 DÉCEMBRE

NOËL

Les jeunes enfants peuvent ressortir meurtris du fait des excès de Noël. Et il y a une étrange ironie dans la commémoration de la naissance d'un pauvre paysan juif par l'échange de cadeaux dispendieux et le cliquetis de plusieurs cartes de crédit surchargées.

Mais si la machine de l'économie doit être stimulée par un quelconque événement, raisonna un ami, qu'y a-t-il de mieux que la célébration de la naissance du Christ ? Hmm, pensais-je.

Ce serait bien, si seulement les enfants, riches et pauvres, recevaient le même nombre de jouets. Mais encore.

Nous oublions que - pour les Chrétiens - le vrai jour de fête c'est Pâques, le jour de la résurrection de Jésus.

Sans doute qu'à Noël nous devrions accepter la qualité dionysiaque qui persiste à voir le jour - la bouffe, les boissons, les festins, les cadeaux et les réceptions. Cela nous transporte au-delà des temps sombres de décembre. Peut-être les dieux païens, à qui appartenait jadis ce solstice, doivent-

ils aussi recevoir un hommage.

Peut-être Noël est-il un temps pour trouver le moyen de se montrer insensées et extravagantes envers tous les enfants, riches et pauvres.

20 DÉCEMBRE

LES CADEAUX DE NOËL

La véritable joie des cadeaux de Noël est l'opportunité qu'ils offrent d'écrire

«Amour,...» à l'intérieur de la carte. La plupart d'entre nous ne disons que bien rarement à nos amis que nous les aimons, même lorsque c'est vrai. On n'en a pas l'habitude dans notre culture.

21 DÉCEMBRE

LES VACANCES

Nos vies sont comptées au passage des jours saints de notre foi. Comment l'année pourrait-elle avoir une quelconque forme si ce n'était de Noël comme point de référence ?

Ou de Pâques, rappelant année après année la présence de la résurrection annoncée par les muguets et les alléluias.

Le trouble soulevé dans certaines écoles publiques concernant les fêtes religieuses est surprenant; surtout dans celles où les administrateurs déclarent, pleins d'excellentes intentions, que les enfants ne peuvent pas chanter des hymnes de Noël.

Comme si nos enfants n'avaient pas besoin de

sens; une renversante incompréhension de la part de ceux qui sont supposés être des éducateurs.

L'observance religieuse dans les écoles publiques est importante. Hanukkah*, Diwali*, la Pâque des Juifs, le Solstice d'hiver, Wesak*, Ram

Navami* offrent tous la chance de se pencher sur le mystère. Les enfants peuvent facilement voir que Dieu apparaît sous différentes formes.

Ce savoir n'éveille rien de la terreur qu'elle suscite chez les adultes.

* (N.d.T. : Hanukkah est la Fête des lumières juive. Diwali correspond à la Fête des lumières hindoue; Wesak célèbre le jour de l'arrivée du Bouddha en provenance de Shambala; Ram Navami est le temps de la célébration hindoue de la naissance de Rama.)

22 DÉCEMBRE

LE PARADIS

Lors d'un Noël, quatre amis du Japon, une famille, vinrent nous visiter. Ils n'étaient jamais venus au Canada. Nous avons vu à travers leurs yeux notre demeure, le lac gelé, les sentiers dans le bosquet.

Notre petite ville nordique devint enchantée, un lieu hors de ce monde avec un climat impossible, et une lune blanche et froide qui montait dans le ciel en illuminant l'univers.

Une nuit, ils restèrent debout pour la voir défiler à travers les arbres. Ils se serrèrent les uns contre les autres sur le tapis du salon en face du foyer. Le digne père de famille avait gardé un bon

feu durant toute la semaine, ajoutant du bois et agitant les tisons de la même façon que nos enfants ont toujours joué, avec grand plaisir, avec le feu au chalet.

J'ai appris encore une fois que c'est le paradis. Maintenant. Ici. Cette demeure humaine ordinaire, fraîche en hiver. Cette ville mortelle familière, avec ses trains, ses autobus scolaires et ses magasins du coin et qui se courbe en suivant la rive d'un vieux lac.

Cette communauté imparfaite, mais créée par des créatures de Dieu, imparfaites mais beaucoup aimées. Nous qui demeurons sur la terre sommes aussi dans les cieux maintenant, et c'est là notre malheur si nous sommes trop occupées pour le remarquer.

23 DÉCEMBRE

LE SOUPER DE NOËL

Magasiner, peler, organiser. Le jour approche. Pour le souper de Noël, il y aura des *latkes*, grâce à notre amie Rose - une crêpe de pommes de terre servie avec compote de pommes pour accompagner la dinde et la farce.Nous célébrons

Hanukkah ensemble, et les anniversaires, les graduations et les événements de tous genres. Ma fille jouit de quelques mères - en incluant Rose qui est, entre autres choses, célibataire, vive, brillante et forte. Ma fille apprend qu'il y a de nombreuses manières d'être femme.Ça prend tout un village pour élever un enfant.

L'ESPOIR

À onze heures la veille de Noël, l'église est bondée. Plusieurs ne se connaissent pas mutuellement, plusieurs sont des gens qui viennent rarement.

On y fait des lectures connues, y livre un message simple, y célèbre la communion. Des chandelles éteintes sont distribuées en même temps que le pain et le vin.

Et toujours, la même conclusion. Les lumières s'éteignent. Il y a un bref silence, puis ce rassemblement d'étrangers commence à chanter

«Ô nuit de paix, sainte nuit...»dans la douce obscurité. Même les plus rarement vus à l'église connaissent les paroles de la chanson.

Une unique chandelle est transportée dans l'allée, sa flamme est passée à chaque rangée, chandelle par chandelle; et l'église s'illumine alors d'une douce luminosité qu'on voit seulement une fois par année, une lumière d'un jaune clair qui jaillit au point de rencontre du feu et des ténèbres.

C'est impossible - cet endroit, ces gens, cette lumière, ce désir d'un monde meilleur, inexprimable si ce n'est par le chant et la flamme. Cet impossible est rendu possible grâce à l'espoir. Nuit de paix. Sainte nuit. Dormez dans la paix céleste.

LE JOUR DE NOËL

Peut-être avons-nous été accaparées par l'emballage, les cadeaux, la nourriture et la préoccupation de savoir si chacun trouvera sous l'arbre ou non ce qu'il désire.

Peut-être y a-t-il de la culpabilité; nous ne pouvions payer ce que nous voulions donner.

Peut-être y a-t-il de la hâte; un somptueux festin à organiser, la dinde sera-t-elle assez cuite, tout le monde pourra-t-il s'asseoir autour de la table...

Arrêtez! C'est correct. Ces choses font partie de ce jour remarquable, tellement chargé de souvenirs qu'il peut difficilement les contenir, avec de la culpabilité, du plaisir, des rires, et du chagrin, tous entremêlés et engendrés par notre enfance. C'est correct.

Voici le jour où Dieu vient réaliser le règne promis de Dieu.

C'est le *Shalom* alors que le lion et l'agneau, l'affamé et le faible, s'allongent paisiblement ensemble.

Et nous qui avons emballé les présents et qui avons pris soin de ceux et celles qui nous ont été donnés pour amis, pour famille ou les deux, que la paix descende sur nous et sur tout le monde.

Si le bébé, l'enfant né dans la crèche, vit - et je crois de tout mon cœur qu'il est vivant - il vit en nous toutes.

Il vit en nos âmes, en nos cœurs et en nos bras, fatigués peut-être par tous les préparatifs de sa venue. Nous sommes la crèche, l'étable, les bergers, les rois, les anges joyeux. Nous sommes Marie, bénie de Dieu. Nous sommes le *Shalom*.

26 DÉCEMBRE

LA MUSIQUE

J'ai une amie qui entendait de la musique quand elle était une enfant, seule dans le champ. Elle revint à la maison et raconta à sa mère qu'elle avait entendu les anges chanter.

Personne, pour autant que sa mère le savait, ne lui avait jamais parlé des anges. Elle ne les avait pas non plus étudiés à la classe de catéchisme. Elle n'était qu'une fillette.

Elle croit toujours aux anges. Une telle musique vient de Dieu de manière aussi directe pour tous les gens. Ce doit être la mémoire de notre âme qui nous la rend si familière.

27 DÉCEMBRE

LA TRADITION

La tradition peut s'avérer très lourde pour les femmes. Nous devrions probablement examiner les plus anciennes traditions à chaque Noël pour voir si certaines ne sont pas devenues trop accablantes et si elles ne mériteraient pas d'être abandonnées.

Mais la tradition représente aussi quelque chose que les femmes aiment, quelque chose dont la signification donne forme à nos vies. L'arbre est au même endroit à chaque Noël, les biscuits et le

lait pour le père Noël aussi, tant que les enfants y croient, parce que c'est ce que nos parents ont fait pour nous.

La transmission de ces petits gestes d'une génération à l'autre, plus jeune. Les traditions nous procurent du réconfort.

28 DÉCEMBRE

ET SI ?

Et si les édifices de Toronto avaient reçu une plus grande influence de Douglas Cardinal plutôt que de Le Corbusier ?

Et si de plus nombreux bâtiments, dans toutes nos villes, Àétaient plus fluides et organiques au lieu de pointer vers le ciel à la façon d'aiguilles ?

Et si notre vision du monde comportait en elle davantage d'amour de la terre, et moins le besoin de s'éloigner au-dessus d'elle ?

29 DÉCEMBRE

SENEX

Une pensée pour la fin de l'année, après avoir lu la description que James Hillman fait de l'énergie *senex*, la sagesse du vieillard.

Toute époque, dit-il, est toujours dominée par un certain assemblage d'énergies que nous portons en nous. Si ça devient trop unilatéral, l'un des aspects exerçant un trop grand contrôle, ça n'annonce rien de bon.

Peu importe ce qu'est cette énergie, si elle est unilatérale autorisée à aller à son extrême - cela devient dangereux. Selon cette description, nous pourrions dire que notre culture est une culture *senex*, une culture d'hommes âgés captivés par l'éco|nomie, le béton, les nombres et les chiffres.

Une culture sans âme.Pas une bonne culture pour des femmes. Non pas que nous ayons un droit unique en matière d'âme, ou que nous n'aimions pas les mathématiques, mais parce que beaucoup de ce qui nous préoccupe ne peut se définir en termes économiques.

Les enfants, la façon dont ils seront nourris et comment ils seront maintenus en sécurité; les gens très âgés et comment on en prendra soin. Nous ne pouvons pas oublier l'âme, ni détruire l'énergie de la jeunesse.

30 DÉCEMBRE

L'AMBIGUÏTÉ

Dans le travail du rêve, on demande souvent au rêveur de mettre sens dessus dessous les événements du rêve. S'il y a une mort dans le rêve, nous demandons

«Y a-t-il en moi quelque chose qui a besoin de mourir ?» Si quelqu'un est attaqué par un animal vicieux ayant une prise solide, nous demandons: «Y a-t-il une situation dans ma vie où la ténacité est requise ?»

Cela reflète tout bonnement le besoin de vivre avec de l'incertitude et des zones grises dans plusieurs aspects de nos vies. Une action que nous sentons devoir poser est parfois le moindre

de deux maux. La vérité est parfois difficile à trouver et semble se modifier d'une journée à l'autre.

Plusieurs d'entre nous sommes inconfortables face à une telle ambiguïté. Nous avons la tentation de courir vers un endroit sécurisant, tout endroit certain et sûr, juste pour fuir la souffrance de ne pas vraiment savoir.

Certaines d'entre nous sommes du type qui aime la précision, les décisions arrêtées, les choix clairs.

Mais il vaut mieux ne pas mettre fin à notre questionnement et notre délibération trop vite. La certitude sur laquelle nous nous précipitons peut s'avérer dogmatique, irréfléchie ou erronée.

31 DÉCEMBRE

UNE NOTE D'AGRÉMENT

J'ai toujours aimé me percevoir comme étant une hôtesse imperturbable.

Mais une fois, la nuit précédant un grand buffet du Jour de l'an (offert par notre famille), une réception trop tapageuse de la veille (offerte par notre cadet) se termina dans le désordre, la confusion et une nuit sans sommeil.

J'étais furieuse.Le fils en question avait des remords. Nous étions tous épuisés. Une heure avant le buffet, nous étions sérieusement en train de nettoyer. Sans parler. Finalement, je commençai «Je t'aime, mais...»

Il ne m'a même pas laissé continuer avec mes «mais». «Je sais, et c'est pour ça que je me sens si mal...»Une minute plus tard, nous étions dans les bras l'un de l'autre, sanglotant tous les

deux, oubliant l'arrivée imminente des invités alors que nous nous rassurions mutuellement de notre affection.Le buffet fut réussi. Je pense que, ce soir-là, il s'est libéré des réceptions extravagantes des veilles de Jour de l'an. Et je me suis libérée de l'invitation de trop nombreuses personnes pour un buffet au beau milieu de la saison la plus occupée de l'année. J'ai finalement compris comment enlever le masque de l'hôtesse et je me suis entendue pour être une mère qui aime ses enfants, petits et grands. Certaines crises constituent seulement une opportunité pour nous de croître en maturité.

AU JOUR LE JOUR – PENSÉES SUR L'AMOUR

PAR JULIETTE TREMBLAY

Recueil de 365 pensées quotidiennes sur l'amour, sur le couple, sur l'écoute de soi. Plusieurs personnes ne prennent plus le temps de réfléchir à leur existence, à leurs émotions, et se privent ainsi du plaisir de partager le fruit de ces réflexions avec leur conjoint(e).

10,95$

AU JOUR LE JOUR – EN ÂME ET CONSCIENCE

PAR JEAN-MARC PELLETIER

Ce livre de Jean-Marc Pelletier vous surprendra certainement, car plusieurs des pensées qu'il a écrites ouvriront à la réflexion et, qui sait, vous feront découvrir une manière nouvelle d'accepter ce que la vie nous fait partager à tous.

9,95$

Bon de commande au verso

BON DE COMMANDE

J'aimerais recevoir les livres suivants:

☐ Pensées sur l'amour ....10,95$

☐ En âme et conscience ....9,95$

Frais de poste et de manutention ....4$

TPS ....

Total..........................

Je joins un chèque ou un mandat postal

de ....$ au nom de Édimag inc.,
C.P. 325, succursale Rosemont,
Montréal (Québec) H1X 3B8

ou faites porter à votre compte VISA

N° de carte..

Expiration ....

Signature ....

Votre nom: ....

Adresse...

....

Ville ....

Code postal..Province............

Tél.: ....

Allouez de 3 à 6 semaines pour la livraison.